GUERREIRAS DE ORAÇÃO

STORMIE OMARTIAN

GUERREIRAS DE ORAÇÃO

O caminho para uma vida de vitória

Traduzido por ÉRICA CAMPOS

Os textos das referências bíblicas foram extraídos da *Nova Versão Internacional* (NVI), da Biblica Inc. Eventuais destaques nos textos bíblicos e citações em geral referem-se a grifos da autora.

Dados Internacionais de Catalogação na Publicação (CIP)
(Câmara Brasileira do Livro, SP, Brasil)

Omartian, Stormie
Guerreiras de oração : o caminho para uma vida de vitória / Stormie Omartian ; traduzido por Érica Campos. — São Paulo : Mundo Cristão, 2014.

Título original: Prayer Warrior: The Power of Praying Your Way to Victory.
ISBN 978-85-7325-970-4

1. Oração — Cristianismo I. Título.

13-12282 CDD-248.32

Índice para catálogo sistemático:
1. Oração: Cristianismo 248.32
Categoria: Oração

Publicado no Brasil com todos os direitos reservados por:
Editora Mundo Cristão
Rua Antônio Carlos Tacconi, 69, São Paulo, SP, Brasil, CEP 04810-020
Telefone: (11) 2127-4147
www.mundocristao.com.br

1ª edição: fevereiro de 2014
15ª reimpressão: 2024

Dedico este livro às guerreiras de oração de todo o mundo, principalmente as que se aproximaram de mim onde quer que eu estivesse e sussurraram: "Eu também sou uma guerreira de oração".

Vocês sabem quem são, mas nunca saberão quanto esse gesto aqueceu meu coração e quão grata sou por sua companhia nesta caminhada.

Sumário

Prefácio

Para muitas pessoas a oração é algo distante, um conceito abstrato e complexo que não faz parte da sua realidade. Mas a oração pode ser parte do dia a dia de qualquer pessoa.

Desde criança tive o privilégio de estar cercada de pessoas que oram. Meus pais me ensinaram a orar agradecendo a Deus todos os dias ao despertar e ao dormir, na hora das refeições e também nas adversidades da vida. Aprendi bem cedo a pedir ajuda a Deus sempre que precisasse e a louvá-lo todo o tempo. Quando conheci meu esposo, sua devoção a Deus cativou meu coração. Na época ele estudava dois cursos superiores, estagiava à tarde, mas ainda assim se dedicava à oração. Até hoje, com mais de treze anos de casados, ele se desperta bem cedo, antes de os compromissos e desafios do dia começarem, e encontra o lugar tranquilo da oração. Ele também me apresentou a muitos livros sobre oração. Quem quer aprender a orar e se espelhar no testemunho de alguém que trilhou o caminho da oração, pode encontrar os registros de cristãos do passado ou de gente da nossa geração.

Em meu ministério, à medida que recebi de Deus missões cada vez mais desafiadoras, encontrei na oração a chave para a vitória. Tenho visto o poder da oração mover céus e terra. Ai de mim se não fossem as orações! Tudo o que fazemos — gravações, ajuntamentos, congressos, campanhas de mobilização — é movido pela oração.

A Palavra de Deus não nos deixa dúvidas de que a oração também é uma arma poderosa contra nosso adversário, o Diabo (Ef 6.10-18). A realidade do mundo espiritual, dos demônios, principados e potestades tornou-se mais clara para mim. Ainda que muitas pessoas ignorem o inimigo, a verdade é que estamos em guerra e somos chamados a nos posicionar como valentes de oração nas conquistas para a expansão do reino de Deus.

Não podemos negligenciar a oração. Precisamos aprender a nos humilhar diante de Deus em oração, reconhecendo nossa total dependência dele. Só assim poderemos ser ousados e resistir a toda ação do Maligno, obedecendo às Escrituras: "Portanto, submetam-se a Deus. Resistam ao Diabo, e ele fugirá de vocês" (Tg 4.7).

Deus quer nos ensinar mais dimensões da vitória que temos por meio da autoridade que nos concedeu em Cristo. Podemos vencer na família, nos relacionamentos, no trabalho e ampliar nossa influência em oração alcançando a igreja, a cidade, a nação e o mundo. Se nos dispusermos, seremos ensinados por Deus a conquistar, pela oração, os avanços do seu reino na terra. Em 2013 experimentamos uma grande mobilização nacional de oração. Houve 40 dias de jejum e oração pelo Brasil e muitas igrejas se uniram nesse propósito. Que alegria e privilégio é participar do que Deus está fazendo na transformação do Brasil e do mundo!

Não há limites para a oração. Orando podemos vencer as pequenas batalhas na dimensão do coração, das motivações e das tentações. Podemos orar também por grandes causas, como guerras, decisões de governos, pelas autoridades da nação. Tudo pode ser tocado pela oração, e precisamos aprender mais sobre isso.

Em *Guerreiras de oração*, Stormie Omartian nos ajuda a enxergar que estamos numa batalha espiritual. Essa guerreira do Senhor nos inspira pela Palavra e por exemplos práticos a nos envolver com Deus em oração. Seus outros livros, como *O poder da esposa que ora*, têm ajudado milhões de pessoas a vencer por meio da oração. Creio que *Guerreiras de oração* será uma poderosa ferramenta para que mais cristãos se alistem nessa batalha.

Que vidas, famílias, igrejas, cidades e nações inteiras sejam transformadas por joelhos dobrados diante de Deus e "punhos cerrados" contra o inimigo de nossas almas. Que a leitura deste livro faça Deus ganhar mais amigos, pessoas que se deleitem em estar em sua presença e que se disponham como intercessoras. Que vitórias sejam alcançadas em todas as dimensões!

ANA PAULA VALADÃO BESSA

Filhinhos, vocês são de Deus e os venceram,
porque aquele que está em vocês é maior
do que aquele que está no mundo.
1João 4.4

1
Entenda que há uma guerra e você está nela

Morei no sul da Califórnia por mais de quarenta anos e testemunhei o pior terremoto que ocorreu nesse período. Nunca me acostumei com terremotos. Para mim, são mais assustadores que qualquer outra coisa. Eles aconteciam de repente, sem nenhum aviso, e não dava para saber quanto tempo e intensidade teriam nem qual seria a gravidade dos estragos. Alguns terremotos eram tão violentos que eu nem mesmo conseguia alcançar o vão da porta ou ir para debaixo de uma mesa sólida, como éramos instruídos a fazer. Em momentos assim, a pessoa sente sua vida sair totalmente do controle: não sabe se morrerá, se será enterrada viva ou se ficará gravemente ferida. Ou ainda — com alguma esperança — se escapará ilesa.

Os edifícios que sobreviviam a esses grandes terremotos tinham alicerce firme e construção reforçada, aptos a resistir a abalos violentos. Quando a Califórnia definiu códigos de construção específicos para tornar os edifícios mais seguros em caso de abalos, as pessoas sábias procuraram se informar de quais eram tais edifícios e se estavam ou não em um deles.

A situação mais aterrorizante eram os tremores noturnos, enquanto todos dormiam. Era um susto acordar em meio à escuridão total, pois a energia acabava e não dava para enxergar coisa alguma. E mesmo quando a energia *não* acabava, não havia jeito de alcançar nenhuma fonte de luz enquanto o quarto tremia violentamente, a menos que houvesse uma lanterna embaixo do travesseiro. Ainda assim, dependendo da força do tremor, agarrá-la poderia ser uma tarefa quase impossível.

O pior terremoto de que me recordo ocorreu quando eu morava sozinha num apartamento em Studio City, próximo a Laurel Canyon, em Hollywood. Foi no meio da noite, enquanto dormia um sono profundo. Eu morava no andar térreo de um prédio de dois andares, com quatro apartamentos, construído antes das normas de construção para prevenção de terremotos serem estabelecidas e implantadas. Embora houvesse apenas um andar acima de mim, eu sabia que havia a possibilidade de o teto desabar. Se isso ocorresse, tudo estaria acabado. Anos antes, eu tinha visto com os próprios olhos os escombros *posteriores* a um forte terremoto, e aquela imagem ficou gravada em minha memória.

Tudo isso estava muito claro em minha mente quando o terremoto veio repentino, violento e barulhento. Tentei sair do quarto e ir em direção ao corredor e à porta da sala, pois assim poderia chegar ao jardim, onde estaria longe de possíveis objetos em queda durante os tremores. Mas havia janelas demais na frente do apartamento (até a parte superior da porta da sala era feita de vidro) para que eu tentasse escapar enquanto o chão ainda estivesse tremendo com tamanha violência. Pensei que, se pudesse chegar o mais próximo possível daquela porta da frente sem ser acertada por nenhum vidro estilhaçado, talvez conseguisse sair antes do prédio desmoronar. A julgar pelas vibrações intensas do apartamento, o desmoronamento parecia iminente.

Enquanto eu atravessava com dificuldades o pequeno corredor, fui atirada com violência contra as paredes de um lado para o outro, o que me fez bater os dois ombros. Além do ruído ensurdecedor do terremoto e do tremor da estrutura do prédio, eu também ouvia as louças sendo lançadas do armário da cozinha para o chão e se quebrando. Os lustres se chocavam contra as paredes. Cada segundo parece uma eternidade quando o chão e tudo ao seu redor estão tremendo, sobretudo se você não estiver numa edificação construída sobre uma fundação sólida de acordo com padrões de segurança confiáveis.

Quando isso aconteceu, eu não tinha um relacionamento pessoal com Deus, mas tentei desesperada estabelecer uma ligação naquele momento. Deus, no entanto, parecia distante e distraído. Estar aterrorizada e sozinha não era novidade para mim, criada por uma mãe que sofria de problemas mentais, num sítio no município de Wymoing, a quilômetros de distância da cidade ou do vizinho mais próximo. Ainda assim, sofrer maus-tratos por parte dela durante a infância e ficar trancada no *closet* sempre que meu pai não estava em casa não se comparava àquela experiência de terremoto. Pelo menos no *closet* eu tinha esperança de sair. Eu não acreditava que escaparia do terremoto com vida. Não tinha a quem *orar* ou *recorrer*.

Com certeza eu não tinha aquele lugar de paz que pode ser encontrado no Senhor, mesmo em meio a circunstâncias aterrorizantes. Na verdade, até então eu nunca tinha sequer ouvido falar em algo semelhante.

Consegui sobreviver ao terremoto sem ferimentos graves, mas, assim que o tremor cessou, peguei minha bolsa e a chave do carro e decidi ir à casa de uma amiga. Era perigoso e assustador demais permanecer ali, pois ainda havia risco de desmoronamento.

Quando eu estava indo à casa de minha amiga, os tremores recomeçaram. Eram tão violentos que, na estrada, eu sentia o carro sendo jogado como se fosse um brinquedo. Foi insano. A vida só começa quando você passa pela experiência de dirigir enquanto o pavimento chacoalha para cima e para baixo como um lençol pendurado no varal durante uma tempestade e se abre com rachaduras tão profundas que você teme ser engolida para dentro da terra. Foi um episódio terrível. Os tremores posteriores podem ser tão assustadores quanto o próprio terremoto, especialmente porque sabemos que tudo ao redor já está numa condição de maior precariedade.

Fiquei com minha amiga durante alguns dias, até que os tremores cessaram. Então, assim que me senti segura o suficiente para fazer uma limpeza completa em meu apartamento, aproveitei para empacotar o que não havia quebrado e me mudei. Logo me casei com alguém, só para não ter de me sentir tão sozinha e aterrorizada de novo. O casamento não completou sequer dois anos. Depois do primeiro ano, entreguei minha vida a Cristo. Meu marido não gostou nem um pouco e declarou sem rodeios que eu estava proibida de dizer o nome de Jesus na casa dele. Era o mesmo que dizer a uma pessoa morrendo de sede que ela nunca poderia beber água novamente. E acabou sendo o ponto final naquela união desastrosa.

Não houve reconciliação, e lá estava eu sozinha de novo. Pela primeira vez na vida, porém, me senti como se não estivesse só. Tinha estado morta, mas agora estava viva. E havia encontrado uma fonte de água viva que nunca seca.

Ao longo desses anos, percebi que a vida espiritual é bem parecida com minhas circunstâncias durante aquele terremoto. Se não construirmos um alicerce sólido, seguindo padrões de construção firmes e comprovados, seremos incapazes de permanecer seguras e ilesas durante os tremores e as agitações que ocorrem *dentro* e *em torno* de nós. Afinal, quem nunca passou por um abalo? Tudo parece instável em nosso mundo: as condições climáticas, os governos, o trabalho, os relacionamentos, a saúde, o casamento, os filhos, a mente e os sentimentos — a lista não tem fim. Mas a verdade é que, apesar de tais coisas estarem acontecendo ao nosso *redor* e *conosco*, podemos ter mais controle sobre nossa vida do que a maioria das pessoas acredita ser possível. Para isso, porém, é necessário que nossa vida espiritual seja edificada sobre um alicerce sólido e de acordo com um código específico.

COMO CONSTRUIR UM ALICERCE SÓLIDO

Em primeiro lugar, não fomos criadas para edificar nossa vida sozinhas. Não fomos projetadas para assumir tudo com as próprias mãos, a fim de moldar a vida conforme nossa vontade. Nossa vida não foi planejada para andar fora de controle. Tampouco fomos formadas para viver com medo constante. Pelo contrário, cada uma de nós foi criada para estar sob o controle *de Deus*. Fomos concebidas para *entregar* nossa vida ao Senhor e convidá-lo a nos tornar tudo o que ele nos *criou* para ser. Fomos projetadas para caminhar com ele em todas as situações, desfrutando da paz que excede todo o entendimento. É possível estabelecer nossa vida sobre uma fundação tão firme que, não importa o que esteja acontecendo ao redor, *não seremos abaladas*.

Para isso, nossa vida precisa estar edificada sobre a Rocha. A Bíblia diz: "Porque ninguém pode colocar outro alicerce além do que já está posto, que é Jesus Cristo" (1Co 3.11).

Jesus disse em Lucas 6.47-48:

> Eu lhes mostrarei com quem se compara aquele que vem a mim, ouve as minhas palavras e as pratica. É como um homem que, ao construir uma casa, cavou fundo e *colocou os alicerces na rocha*. Quando veio a inundação, a torrente deu contra aquela casa, mas *não a conseguiu abalar, porque estava bem construída*.

A rocha sólida é Jesus. A presença dele impacta todos os aspectos de nossa vida.

A rocha sólida também é a Palavra de Deus. Jesus é chamado de *Palavra viva*. Isso porque Jesus é a Palavra. Jesus e sua Palavra são inseparáveis. Não podemos ter um sem o outro. Jesus e sua Palavra são o alicerce sólido sobre o qual podemos construir e estabelecer nossa vida.

Quando aceitamos Jesus, ele nos dá seu Espírito Santo para habitar em nós, que é o sinal de que pertencemos a ele. O Espírito Santo nos capacita a viver aquilo que a Palavra nos ensina. É a maneira de Deus nos transformar e operar de modo profundo em nosso coração a fim de nos manter firmes, seguras e fortalecidas. Jesus — a Palavra de Deus — e o Espírito Santo de Deus nos ajudam a permanecer firmes, não importa quanto o mundo ao redor esteja abalado e desmoronando. (Falaremos mais sobre isso no capítulo 2, "Conheça seu Capitão e fique ao lado dele".)

Uma guerra está sendo travada

Se você crê em Jesus e o aceitou como Salvador, você faz parte do corpo de Cristo. Isso significa que você está inserida na batalha espiritual entre Deus e o inimigo. Na verdade, mesmo que ainda *não* tenha recebido Jesus em sua vida, você está na guerra. Só não está ciente disso e, portanto, não tem controle sobre as coisas que acontecem em sua vida. Você pode ser atingida e ferida no fogo cruzado do inimigo de sua alma sem nem mesmo perceber o que está se passando. Talvez esteja enfrentando muitos problemas: uma série de acidentes ou enfermidades, divórcio, problemas relacionais, profissionais ou financeiros, tormentos mentais, consequências de escolhas ruins, rebeldia dos filhos. A lista é interminável. Pode achar que é falta de sorte, mas não é. Você está no fogo cruzado de um inimigo que você nem mesmo conhece.

Os cristãos também podem sofrer por estar no fogo cruzado, mas isso porque eles não entendem que há uma guerra sendo travada e eles estão envolvidos nela. Muitos cristãos estão sendo atingidos pelo inimigo de nossa alma e vida, mas acreditam que coisas ruins lhes acontecem simplesmente porque a vida é assim. Não desempenham papel ativo na guerra, apesar de estarem sofrendo as consequências das batalhas. São atacados e ficam feridos e incapacitados porque estão totalmente despreparados para enfrentar a oposição do inimigo; não fazem ideia de como lutar.

O inimigo de Deus é seu inimigo

Talvez você acredite que não está em guerra contra ninguém, mas não é preciso estar em guerra contra alguém para que aquela pessoa esteja em guerra contra *você*. Talvez *pense* que seu inimigo espiritual não exista, logo não está em guerra contra ele, mas a verdade é que, independentemente de sua opinião, há um inimigo que está sempre contra você. Uma de suas artimanhas prediletas é nos convencer de que ele não existe e, portanto, não oferece ameaça. Ele é o mestre do disfarce. Ele se disfarça de anjo de luz. Imagine quão enganoso isso pode ser a alguém incapaz de identificar uma mentira.

Talvez você esteja pensando: "Não quero pensar nem falar sobre o inimigo". Eu também não. E não temos de fazê-lo... não em excesso. Entretanto, é mais prudente reconhecer sua existência e sua determinação em nos destruir. Precisamos entender que, assim como Deus tem um plano para nossa vida, o inimigo tem outro — roubar, matar e destruir. Também devemos reconhecer que Deus nos forneceu um jeito de ter domínio sobre o inimigo e suas obras malignas das trevas em nossa vida. Pois, se não entendermos isso, ignoraremos o inimigo ou fingiremos que ele não existe, possibilitando que os planos *dele* sejam bem-sucedidos.

Você, que é cristã, está envolvida na guerra espiritual, quer saiba disso quer não, quer reconheça esse fato quer não, quer aceite-o quer não. Talvez acredite que algumas coisas ruins que acontecem com você ou com os outros, ou que estão evidentes nas situações do mundo ao redor, sejam meras coincidências ou azar, mas é muito mais sombrio que isso. Essas coisas resultam dos planos do inimigo, que é o inimigo de Deus e de todos os seus filhos, incluindo você e eu. Talvez pense que não está na guerra, mas está. Talvez imagine que não precisa se envolver na batalha, mas precisa. Muitas vezes, quando as pessoas lutam em oração para que a vontade do Senhor prevaleça numa batalha específica, pensam que, uma vez vencida a batalha, a guerra chegou ao fim. *Mas a guerra nunca termina, pois o inimigo não tem momentos ocasionais de bondade em relação a nós.*

Você pode afastar essa realidade, mas ela continua a existir. E um dia você descobre que coisas ruins estão *lhe* acontecendo. Está sofrendo abalos que impactam gravemente *sua* vida, e não está preparado para fazer nada a respeito.

Sua maneira de reagir ao inimigo de sua alma determina qual plano para sua vida será realizado: o dele ou o de Deus.

A maioria dos cristãos reconhece que tem um inimigo. Leram a Bíblia e estão cientes dessa parte. Oram para que a vontade de Deus prevaleça. Contudo, ocorrem muitas batalhas na vida, e Deus chama os que nele creem para lutar por seu reino como guerreiros e guerreiras de oração. Não se trata de um grupo formado por cristãos selecionados, que são mais espirituais e gostam desse tipo de coisa ou não têm nada melhor para fazer. Deus chama *todos* os cristãos para travar a batalha espiritual. Uma forma de encarar isso é pensar no novo nascimento como o ingresso no exército de Deus.

Não podemos nos dar ao luxo de pensar: "Se eu não reconhecer que tenho um inimigo, não terei de me envolver com ele. Posso escapar dessa guerra". Se você pensa assim, permita-me dizer o seguinte, com educação e amor: Você está sonhando! Está vivendo uma fantasia! Tanto o inimigo como Deus tem um plano para sua vida. Qual plano você quer que seja realizado? Deus lhe dá livre-arbítrio e lhe permite escolher a vontade *dele* em sua vida. O inimigo não dá a mínima para seu livre-arbítrio, contanto que possa influenciá-la a se inclinar na direção do plano dele para sua destruição. Conheço pessoas que creem que se jamais reconhecerem a existência do inimigo — e, principalmente, se não aceitarem o fato de que o inimigo *de Deus* é também inimigo *delas* — nunca serão atraídas para nenhuma batalha, muito menos para uma guerra. Mas aqueles que negam a guerra, se recusam a vê-la, a ignoram ou fogem dela estão destinados a perder.

Deixe-me repetir.

A verdade é que já estamos em guerra. A guerra nunca termina enquanto não partirmos para estar com o Senhor. É melhor permanecer firme e lutar conforme a vontade de Deus.

Li a Bíblia inteira várias vezes e conheço o final dessa história. Na guerra entre Deus e o inimigo, Deus vence. Não é como nas guerras terrenas, em que as pessoas têm a esperança de vencer e oram para que isso aconteça. Nesta guerra, temos vitória garantida sobre o inimigo, mas ainda assim precisamos lutar cada batalha para chegar à vitória.

Cada batalha é travada em oração.

A oração é a batalha.

Durante a Primeira e a Segunda Guerra Mundiais, foram espalhados por todo os Estados Unidos cartazes retratando um senhor vestido com as cores da bandeira americana — azul, vermelho e branco — e cartola na cabeça, com o dedo indicador em riste. A legenda dizia: "Eu quero você". O Tio Sam, símbolo dos Estados Unidos, queria recrutar homens e mulheres para o exército americano. Precisamos visualizar uma imagem semelhante em nossa mente: o retrato de Jesus olhando para nós, apontando o dedo em nossa direção e dizendo: "O Pai quer você". Deus quer que você lute no exército dele. Você vai aceitar o chamado?

Não é preciso temer a terminologia da batalha. Não há razão para ter receio de palavras como “guerreiro”, “guerra”, “combate” ou “armas”. Apesar de estarmos numa batalha espiritual, ela não é menos real que as batalhas carnais travadas na terra hoje. A diferença é que, na guerra espiritual, lutamos por meio da oração. Repito, não há motivo para ter medo. O exército de Deus é o único lugar ao qual você será designada, mas de fato não precisa ir a lugar algum. No momento em que diz: “Pode contar comigo, Senhor; quero me unir aos outros guerreiros e guerreiras de oração para ver tua vontade feita na terra”, você está ativa no serviço militar. Quando Deus põe em seu coração uma pessoa, um grupo de pessoas, uma comunidade, uma cidade ou uma nação estrangeira, ele estabelece uma conexão mediante o Espírito entre você e essa segunda parte, e você pode interceder em favor dela. Você começa a agir como guerreira de oração tão logo dá voz a seus sentimentos e conversa com Deus a respeito deles. Seu coração será enviado em oração para onde Deus quer que ele esteja.

Coração de uma guerreira de oração

Se você acredita não ter as qualidades necessárias para ser uma guerreira de oração ou está preocupada com as dificuldades da batalha, ou ainda pensa que não tem tempo para isso, deixe-me fazer algumas perguntas:

Sente-se incomodada ao ver alguém sofrendo? Quer fazer algo para aliviar o sofrimento alheio, mas não se sente capaz de fazer o suficiente? Em caso afirmativo, você tem o coração de uma guerreira de oração.

Reconhece o mal proliferando no mundo? Anseia encontrar uma forma de conter a destruição na vida das pessoas? Em caso afirmativo, você tem o coração de uma guerreira de oração.

Sofre alguma injustiça em sua vida ou pode identificá-la na vida de outros? Vê a injustiça marchando adiante num avanço que parece irrefreável? Incomoda-se com isso e gostaria de mudar essa situação? Em caso afirmativo, você tem o coração de uma guerreira de oração.

Observa coisas erradas acontecendo ao seu redor e deseja corrigi-las? Vê a cultura do ódio tornando-se cada dia mais forte e isso a incomoda? Em caso afirmativo, você tem o coração de uma guerreira de oração.

Sente um peso no coração em relação a alguém e se preocupa com essa pessoa sem saber por quê? Conhece uma pessoa que enfrenta grandes dificuldades e quer ajudá-la, mas não sabe o que fazer? Em caso afirmativo, você tem o coração de uma guerreira de oração.

Vê tragédias acontecendo o tempo todo e se sente incapaz de fazer algo para mudar isso? Já desejou fazer algo que pudesse prevenir uma tragédia? Em caso afirmativo, você tem o coração de uma guerreira de oração.

Sente tristeza profunda ao ver pessoas deliberadamente desprezando Deus e seus caminhos? Tem compaixão de pessoas que não reconhecem que precisam de Deus, mas se sente incapaz de influenciar a vida delas de algum modo? Em caso afirmativo, você tem o coração de uma guerreira de oração.

Na verdade, se você respondeu afirmativamente a *pelo menos* uma dessas perguntas, tem o coração de uma guerreira de oração. A transformação numa guerreira de oração *começa* no coração, às vezes sem termos consciência disso.

A guerreira de oração tem o coração compassivo por pessoas em sofrimento e por situações ruins e deseja realizar algo que fará a diferença.

Quando você diz a Deus que está se alistando como guerreira de oração, ele põe em seu coração pessoas ou situações específicas pelas quais deseja que você ore. Não é preciso ir atrás de pessoas ou situações (a menos que sinta a direção de Deus para fazê-lo), pois essas necessidades lhe serão rapidamente reveladas. Por exemplo, assim como você, tenho muitas pessoas e situações que pesam em meu coração. Além de ir à batalha em oração por minha vida e pela vida de meus familiares, amigos, vizinhos, colegas de trabalho e indivíduos específicos que sei que precisam de alguém para defendê-los em oração devido aos desafios que estão enfrentando, há problemas sérios no mundo que se sobressaem em meu coração.

Um exemplo é que não tenho tolerância ao abuso infantil. Não suporto ouvir sobre mais uma criança que foi sequestrada, molestada ou assassinada. Assim, sempre que Deus traz esse tipo de situação à minha mente, oro para que as crianças sejam protegidas. Oro para que qualquer pessoa que de algum modo ferir uma criança seja colocada na prisão e nunca seja solta para causar outro mal. Oro para que pessoas que abusam de crianças sejam expostas e pegas *antes* de pôr em prática seus planos malignos. Oro especificamente para que pessoas envolvidas com o resgate de tais crianças possam capturar os perpetradores do mal *antes* que eles cometam mais um crime. Reconheço diante de Deus que estou a serviço dele como guerreira de oração e sei que ele pôs isso em meu coração com grande intensidade.

Outra questão que pesa em meu coração é o mercado de escravidão sexual. É inconcebível que homens com o coração tomado por iniquidade e ganância capturem meninos e meninas e os vendam a outros homens dispostos a pagar para abusar desses jovens a fim de satisfazer seus desejos pervertidos, sórdidos e egoístas. Nenhum ser humano decente pode estar ciente de que coisas desse tipo acontecem e afirmar que não existe mal no mundo. Oro para que Deus providencie uma saída para essas jovens vítimas enviando pessoas piedosas que as ajudem a livrar-se dessa vida infernal e a encontrar a restauração que o Senhor lhes tem reservado. Oro para que profissionais que procuram libertar esses jovens tenham o favor de Deus e alcancem sucesso miraculoso. Oro para que os homens cruéis envolvidos em tamanha perversidade sejam expostos, condenados em todos os aspectos possíveis e que suas obras do inferno sejam destruídas.

Como alguém pode saber que coisas desse tipo estão acontecendo e *não* orar?

Nós, guerreiras de oração, devemos lembrar que, independentemente de uma situação nos parecer um caso perdido, Deus nos dá poder por meio da oração para fazer algo a respeito. *Nós* podemos nos sentir sobrecarregadas, mas *Deus* não se sente. Talvez não visualizemos uma solução, mas *Deus* vê. Por causa dele, nós *podemos* fazer a *diferença*!

Oramos sozinhas, mas não lutamos sozinhas

O único motivo de o mundo desfrutar de alguma paz e bênção se deve às orações de homens e mulheres piedosos. A maioria das pessoas não faz ideia disso. Vivem tranquilos, sem consciência de estarem colhendo os bons frutos, as bênçãos, a segurança, a felicidade e o sucesso resultantes das súplicas de pessoas que levam a oração a sério. Acreditam ter um bom carma, boa sorte ou bons genes (sim, já ouvi pessoas falarem isso). Mas a vida boa delas não se dá por nenhuma dessas razões. É resultado de guerreiros e guerreiras de oração que fazem a obra para a qual Deus os chamou — orar e interceder seguindo a direção do Espírito Santo. E não são apenas alguns que são chamados. *Todos* somos chamados a orar. O problema é que poucos de nós estão ouvindo. *Você está* ouvindo; do contrário, não estaria lendo este livro.

Depois de ter sobrevivido àquele terremoto assustador e de haver entregado minha vida a Jesus, descobri que em Los Angeles há muitos guerreiros de oração que oram especificamente a respeito de falhas geológicas. Essas pessoas sentem uma forte direção do Espírito Santo para orar por essa questão. Oram para que o *Big One*, o grande terremoto previsto por geólogos há décadas, nunca aconteça. Ou para que, se atividades sísmicas devem ocorrer, limitem-se a pequenos tremores. Conversei com duas mulheres que participam desse grupo. Elas vão até a região onde acredita-se que tais falhas estejam localizadas e oram ali. Não sei quantas pessoas fazem parte do grupo. Não perguntei. Eu estava apenas falando sobre terremotos outro dia, e essas senhoras me contaram isso. Não estavam em busca de aplauso. Contaram-me apenas porque demonstrei preocupação com a questão dos terremotos.

Durante anos me perguntei por que o número de vítimas de terremotos na Califórnia não era maior, principalmente em vista da forte intensidade de alguns deles. Hoje acredito que seja a resposta de Deus às orações dos guerreiros de oração. Já testemunhei vários abalos e não me feri em nenhum deles. Não atribuo minha sobrevivência à sorte, a um bom carma, a bons genes nem ao bom senso. Dou graças a Deus por ter respondido às orações dos guerreiros de oração antes mesmo de eu saber que Deus e eles existiam.

Não estou dizendo que você precisa fazer algo que requer a dedicação de tanto tempo ou esforço quanto ir à região das linhas de falhas geológicas, como fazem as pessoas daquele grupo. Elas sabem que receberam esse chamado. E, acredite, quando você for chamada para uma oração específica, não conseguirá *não* atender ao chamado. Você não revirará os olhos para Deus e dirá: "Ah, sério mesmo? Mas estou cansada. Meu programa de TV predileto vai começar. Não estou a fim". Em vez disso, dirá: "Sim, Senhor! É pra já!", e considerará um privilégio servir a seu grande Capitão dessa maneira. Mesmo quando estiver orando sozinha, não estará sozinha na batalha — inúmeros guerreiros de oração de todo o mundo estão orando com você.

É MAIS TARDE QUE PENSAMOS

Precisamos fazer mais que orar apenas por nossas próprias necessidades. Não significa que devemos parar de orar por elas. De jeito nenhum. Jesus disse que devemos orar por essas coisas, e isso faz parte de ser uma guerreira de oração. Precisamos batalhar em oração por nossa vida tanto como pela vida de nossos familiares, amigos e pessoas que Deus põe em nosso coração. Contudo, não devemos parar por aí, como se o resto do mundo não fosse nosso problema. Além de ser nosso problema, somos também *ordenadas* pelo Senhor a agir como intercessoras. Ele chama cada uma de nós para isso.

Podemos ver o mal agindo em tudo ao nosso redor. Quem sabe estejamos num lugar seguro agora, mas isso pode mudar num instante. Coisas horríveis estão acontecendo muito perto de nós.

Eu morava com minha família num bairro que me parecia seguro até que um dia deixei de pensar assim. Era possível *sentir* o mal penetrando, apesar de naquela época eu não ter provas disso. Estive perto do mal o suficiente durante minha vida, principalmente na juventude, para reconhecê-lo em meu espírito quando ele se aproxima. Orava sobre essa questão todos os dias, mas não conseguia me livrar da sensação de que meu marido, meus filhos e eu não estávamos num lugar seguro. Orava para que Deus nos livrasse do mal e o afastasse de nossa comunidade.

O Espírito Santo nos orientou a mudar para outro bairro mais seguro. Pouco tempo depois da mudança, foi descoberto que no bairro onde morávamos havia um círculo enorme de pornografia infantil operando numa casa de aparência respeitável, bem debaixo do nariz de todos. Eles atraíam crianças ao local e filmavam coisas horríveis, sem ninguém desconfiar de nada. Todos sabíamos quais eram as regiões em que o mal e o crime operavam em nossa cidade, e ninguém chegava perto delas, mas não tínhamos ideia do que acontecia em segredo em nosso próprio bairro.

Depois que nos mudamos dali, uma maravilhosa senhora cristã que conhecíamos foi buscar a filha adolescente na casa de uma amiga, onde a menina participava de um estudo bíblico, a dois quarteirões de onde morávamos. Enquanto ela esperava no carro com o filho mais novo, um homem parou ao lado, caminhou até o vidro do carro e apontou uma arma. Ela entregou a bolsa e a pasta sem reagir, mas ele encostou a arma nela e atirou mesmo assim. Foi assassinada a sangue frio na frente do filho e da filha, que saía da casa com os outros participantes do estudo bíblico. Uma tragédia terrível, horrenda, inimaginável e desoladora pela qual ninguém deveria ter de passar.

Demorou um tempo, mas o assassino foi finalmente identificado, preso, julgado e condenado à prisão perpétua. A justiça foi feita, mas ninguém mais se sentiu seguro naquele bairro. Na verdade, ninguém está seguro em bairro nenhum. O mal está em toda parte, e temos de erguer um muro espiritual contra o mal em oração, para impedi-lo de entrar em nosso bairro ou comunidade. Caso já tenha entrado, devemos orar para que o mal seja exposto e afastado para bem longe de nós. É isso que guerreiras de oração fazem.

Não quero estar numa guerra, pois detesto violência

Sei que você não quer fazer parte de uma guerra. Eu também não. Ninguém quer. Inúmeras pessoas disseram isso ao longo da história. Quando o inimigo ataca, porém, não temos escolha. O fato de detestar a violência é exatamente a razão de se envolver na batalha. Se você não tomar uma posição *ofensiva* por meio da oração, o inimigo trará a batalha até você. Trará a batalha a seu lar, seu bairro, sua escola, seu local de trabalho. Onde quer que você esteja. O inimigo vem para destruir, e, quando ele o fizer, você deve estar pronta para lutar *de forma defensiva*, a fim de contê-lo. Mas o melhor é orar com antecedência para prevenir.

Talvez você tenha decidido ler este livro porque está curiosa a respeito da guerra espiritual (do que se trata e por que uma pessoa se envolveria nela), mas permita-me dizer que Deus deseja fazer mais que satisfazer sua curiosidade. Você precisa lutar contra aquilo que está acontecendo ao seu redor e vencê-lo primeiro no âmbito espiritual para depois vencê-lo aqui na terra.

Este livro a ajudará a descobrir de que lado você está, a identificar seu Capitão e a reconhecer seu verdadeiro inimigo. Ajudará a entender sua autoridade em oração e a condicionar a si mesma para ser tudo o que Deus a chama para ser. Ensinará você a vestir a armadura, obter habilidade no manuseio das armas espirituais, identificar o campo de batalha e entrar na guerra. Mostrará como resistir ao inimigo, enxergar cada situação da perspectiva de Deus e orar sob a direção do Espírito Santo. E, quando fizer tudo isso, você impedirá que o inimigo tire qualquer coisa que lhe pertence, incluindo cônjuge, filhos, lar, saúde física e mental, clareza, pureza, paz, poder e comunhão com o Senhor. Também poderá recuperar territórios que pertencem a Deus, como pessoas que estão perdidas ou não conseguem ajudar a si mesmas e precisam de alguém para defendê-las do inimigo.

Deus nos dá domínio sobre a terra mediante o poder do Espírito Santo em nós. A vitória, porém, resulta de nossa luta diária contra o inimigo de todas as coisas boas. Não devemos ficar de braços cruzados e permitir que os problemas entrem em nossa vida. Sim, teremos aflições, e muitas vezes elas são inevitáveis. *Deus não nos prometeu uma vida sem adversidades ou lutas.* Não nos prometeu vitória instantânea sobre cada desafio, mas nos disse que, com a proclamação de sua verdade e uma vida de oração em seus caminhos, superaremos as dificuldades. Nossa batalha espiritual em oração prepara o terreno para Deus nos trazer a vitória.

PARECE TRABALHO DEMAIS

Se você acha que ser uma guerreira de oração é trabalho demais, vou lhe dizer o que é *realmente* trabalho. Enterrar um filho. Ser chamado à cena de um acidente terrível. Receber o diagnóstico de uma doença. O fim de uma grande amizade. A ruptura de laços familiares. Relacionamentos ruins no trabalho. Sofrer de solidão, tristeza, frustração, falta de esperança ou infelicidade. Acumular dívidas, perder a casa própria, pobreza, desânimo, pecado, medo, terror, ansiedade profunda, o fim de um casamento. *Tudo isso é trabalho demais!*

Você pode estar pensando: "Quer dizer que tudo isso acontece quando não oro?".

Eu lhe pergunto: Há alguma garantia de que o inimigo de sua alma não tem a ver com nenhuma dessas coisas? De que nenhum desses problemas está relacionado ao plano maligno dele para destruir sua vida? De que ele não planeja nada desse tipo para sua vida ou para a vida das pessoas que você ama? É possível garantir que a oração não tem nenhum efeito sobre nenhuma dessas coisas que acabei de mencionar?

Sim, todas nós fazemos coisas tolas de vez em quando e acabamos nos metendo em confusão. Para algumas de nós pode parecer que essas coisas *simplesmente acontecem*. Mas quantas vezes você gostaria de ter orado por um conhecido *antes* de ele ser diagnosticado com uma terrível doença? Ou antes de seu suicídio? Ou antes de sua *overdose*? Ou antes de um filho adolescente sofrer um acidente? Ou antes de um assalto? Muitas vezes, tenho certeza. Todas sentimos isso. *Não* estou dizendo que somos *responsáveis* quando coisas ruins acontecem porque deixamos de orar. Estou dizendo que coisas ruins podem ser *evitadas* quando oramos. E *somos* responsáveis diante de Deus por *quanto* oramos, com que *frequência* oramos e quão *fervorosamente* buscamos a direção do Espírito *sobre o que* orar.

O mundo está em situação de desespero. O sofrimento aumenta a cada dia. Podemos *vê-lo*. Conhecemos o sofrimento e dá para *senti-lo*. Isso, sim, é trabalho demais! Fico perplexa quando ouço alguém dizer: "Bem, se vai acontecer de qualquer jeito, por que orar?". Por favor, ouça o que estou dizendo. Sim, algumas coisas vão mesmo acontecer. Por exemplo: o retorno do Senhor Jesus, o fim da influência do inimigo sobre a terra, o surgimento do anticristo e o cumprimento de cada profecia bíblica que ainda não se cumpriu. Mas Jesus não disse aos cristãos: "Cruzem os braços e não façam nada até eu voltar". Ele não disse: "Essas coisas vão acontecer de qualquer jeito, então comam, bebam e sejam felizes enquanto podem". Não, ele disse que devemos ocupar o território em que ele nos inseriu, segundo a vontade dele, até ele voltar. Devemos *adorá-lo*, *ler sua Palavra* e *orar sem cessar* enquanto estivermos neste mundo. Quando *deixamos* de fazer essas coisas, paramos de agir de acordo com a vontade de Deus. Não há outra forma de enxergar isso. Boa parte das tragédias ocorre porque muitas pessoas não estão orando.

Nós, como povo de Deus, precisamos acordar. É por meio da oração que Deus opera aqui na terra. É ideia *dele*, e não minha. Não estou inventando tudo isso; é o que a Bíblia diz repetidas vezes. Uma porção de coisas boas *não* acontecerá, a menos que as pessoas orem por elas. E coisas terríveis *vão* acontecer se não orarmos. Deus está pedindo que sigamos sua orientação.

A Bíblia diz: "Levem os fardos pesados uns dos outros e, assim, cumpram a lei de Cristo" (Gl 6.2).

Em suma, ser uma guerreira de oração é exatamente isso.

Leve os fardos de outras pessoas ao Senhor em oração. O nome disso é intercessão. Reconheça a obra adversária do inimigo e resista-lhe em oração. É o que as guerreiras de oração fazem. Muitas tempestades já passaram, mas *muitas* outras ainda *virão*. As coisas estão abaladas, mas muitas outras *serão* estremecidas. Se você construiu sua casa sobre a Rocha e tem o hábito de orar, permanecerá firme e sobreviverá à tempestade. Essa é uma das muitas recompensas de ser uma guerreira de oração.

Há muito a ser escrito sobre a batalha espiritual para caber em um livro. Nesta obra estou escrevendo sobre como você pode se tornar uma guerreira de oração eficaz. Ou, se você já é uma, como pode se tornar a guerreira de oração mais vitoriosa possível. Unidas em oração, podemos transpor todas as barreiras que impedem a unidade para a qual Deus nos chamou e podemos nos tornar o poderoso exército das guerreiras de oração que ele quer que sejamos.

Comece dizendo: "Senhor, usa-me como tua guerreira de oração", e o Espírito Santo o conduzirá até lá.

* * *

Oração para a guerreira de oração

Senhor, oro para que me ajudes a edificar minha vida sobre base sólida. Sei que não há alicerce mais firme que aquele estabelecido sobre a Rocha, que é o Senhor Jesus e a Palavra (1Co 3.11). Não importa o que estremeça ao meu redor, tu me dás uma fundação que jamais poderá ser abalada ou destruída.

Ajuda-me a sempre lembrar que sou um instrumento na guerra entre ti e o inimigo e que a vitória em minha vida depende de minha disposição de ouvir teu chamado para orar. Sei que queres que eu me envolva nessa guerra espiritual, e a oração é a batalha.

Ensina-me a ouvir teu chamado e a orar em poder conforme tua vontade.

Obrigada, Senhor, por tantos homens e mulheres a quem chamaste para serem guerreiros e guerreiras de oração na batalha espiritual entre o bem e o mal e que já responderam a esse chamado. Peço por muitos que ainda estão em cima do muro, sem perceber que podem ser acertados pelo fogo do inimigo. Ajuda-nos todos a despertar para tua verdade. Capacita-nos a levar o fardo uns dos outros em oração e a cumprir tua lei (Gl 6.2). Ensina-nos a sempre ouvir teu chamado.

Capacita-me a ouvir a voz do teu Espírito Santo conduzindo-me à oração. Mostra-me onde minha oração é mais necessária para mim, para minha família e para as pessoas e situações que puseste em meu coração. Mostra-me *como* devo orar. Ajuda-me a não pensar na oração como uma mera súplica para que consertes as coisas, mas, sim, como uma forma de alcançar domínio sobre as trevas, conforme disseste que devemos fazer. Ensina-me a usar a autoridade que me deste em oração para que teu reino avance na terra. Capacita-me a me juntar aos demais cristãos para impedir a disseminação do mal. Ajuda-me a promover teu reino de forma poderosa.

Oro em nome de Jesus.

Não durmamos como os demais, mas estejamos atentos e sejamos sóbrios.

1Tessalonicenses 5.6

2
Conheça seu Capitão e fique ao lado dele

Todo exército tem um capitão que é o principal líder. Ele é o mais confiável e qualificado no que diz respeito a lutar a guerra. Todos os soldados buscam sua orientação, e todas as ordens vêm *dele*. Um bom soldado jamais consideraria ignorar suas ordens ou desobedecer a elas.

No exército humano, talvez os soldados nunca cheguem a conhecer o capitão ou mesmo a encontrá-lo pessoalmente. No exército espiritual de Deus, porém, você não apenas encontrará seu Capitão, mas o fará *antes* mesmo de se tornar uma guerreira. Isso porque o desejo dele é que você não apenas *o conheça*, mas que o conheça bem e tenha um relacionamento pessoal com ele. Ou seja, você não simplesmente o encontra, e a história termina aí. Ele quer que você *continue a crescer* no relacionamento com ele, para que possa ouvi-lo falar a seu coração. Ele quer que você seja capaz de distinguir claramente a voz dele e a voz do inimigo. Quanto melhor conhecer seu Capitão e quanto mais procurá-lo em busca de força, poder e direção, melhor guerreira será.

No exército humano, o soldado recebe ordens por meio de uma cadeia de comando. No exército do Senhor, porém, não há intermediários. Você recebe ordens diretamente do Capitão.

Imagine que você decidiu ingressar no exército e seu Líder voluntariamente concordou em morrer no seu lugar para que você nunca tenha de morrer. Não apenas isso, ele assumiu as consequências de quaisquer erros que você tenha cometido em sua vida — ou venha a cometer no futuro — e a perdoou completamente para que não fosse necessário qualquer tipo de dispensa desonrosa. Mesmo se você fizer algo terrivelmente errado, poderá aproximar-se dele, confessar seu erro e ser perdoada e liberta. Não é maravilhoso?

Então imagine ainda mais. No exército de Deus é assim, pois seu Capitão é Jesus, e ele quer ocupar o primeiro lugar em sua vida.

Aqui estão algumas coisas que você deve saber sobre seu Capitão. Jesus estava com Deus desde o início (Jo 1.1-2). Ele veio ao mundo — nascido como homem, porém completamente divino — para nos libertar das forças do inferno e do poder da morte. Foi crucificado na cruz e sofreu a morte em nosso lugar. Ressuscitou para provar que era quem dizia ser — o Filho de Deus. Providenciou o caminho não apenas para nossa salvação, de modo que passaremos toda a eternidade com ele, mas também para sermos salvos das mãos do inimigo nesta vida. Deu-nos sua vida para que, "*por sua morte, derrotasse aquele que tem o poder da morte*, isto é, o Diabo, e libertasse aqueles que durante toda a vida estiveram escravizados pelo medo da morte" (Hb 2.14-15).

Isso significa que Jesus nos libertou do inimigo, que exercia poder de morte sobre nós. Quando Jesus morreu na cruz e ressuscitou, obteve vitória absoluta sobre a morte e o inferno. Ele sofreu e morreu para nos poupar de sofrer e morrer. Libertou-nos de quaisquer razões para *temer* a morte, pois quando morrermos subiremos ao céu para estar com ele. Não precisamos ter medo da morte; precisamos ter medo de viver sem ele.

Como cristãos, sabemos que "estar ausentes do corpo" é "habitar com o Senhor" (2Co 5.8). Também sabemos que estar ausente do Senhor, como faz o incrédulo, não é vida.

A Bíblia diz que Jesus foi aperfeiçoado por meio do sofrimento (Hb 5.8-9). Isso não significa que ele era imperfeito ou que tinha pecados, pois Jesus era moralmente irrepreensível. Significa que ele *realizou perfeitamente* o que era exigido dele para ser um Salvador de todas as pessoas. Em seu sofrimento e sua morte ele se tornou o Salvador perfeito. Cumpriu perfeitamente tudo o que era necessário para ser o sacrifício por nossos pecados. Ninguém mais o fez — só Jesus. Ninguém mais morreu por você e ressuscitou dos mortos para romper o poder da morte e do inferno sobre sua vida. Apenas Jesus. E isso também o torna o Capitão perfeito.

Jesus é, na verdade, Capitão de dois exércitos: o exército dos anjos no céu e o exército dos guerreiros e guerreiras de oração na terra. Não à toa, ele é chamado de o "Senhor dos Exércitos". Esse título significa "Capitão dos exércitos do céu e da terra em guerra contra Satanás e suas forças malignas". Como Capitão desses dois exércitos, Jesus nos mostra como tomar do inimigo aquilo que ele roubou de nós. Ele nos garantiu libertação do domínio do inimigo, mas precisamos estabelecer essa libertação em nossa vida e na vida dos outros. Fazemos isso ao orar como guerreiras de oração.

As páginas a seguir contêm outras coisas importantes que precisamos saber sobre o nosso Capitão.

Seu Capitão a escolheu

A Bíblia diz em Efésios 1.4-5:

> Deus *nos escolheu* nele antes da criação do mundo, *para sermos santos e irrepreensíveis* em sua presença. Em amor *nos predestinou* para sermos adotados como filhos, por meio de Jesus Cristo, conforme o bom propósito de sua vontade.

Fomos *escolhidas*. Deus *nos* escolheu antes que nós *o* escolhêssemos. Ele nos escolheu e nos salvou por causa de seu amor por nós e de sua benevolência para conosco. Somos *santas* porque Jesus nos purificou de todo pecado. Somos *predestinadas*, o que não significa que temos uma visão fatalista do futuro, como se fôssemos destinadas a ser pobres ou infelizes. Significa que Deus tem um plano para nossa vida e, porque aceitamos Cristo e seu Espírito Santo habita em nós, estamos destinadas a viver esse plano. Somos *perdoadas* porque Jesus nos amou o suficiente para morrer em nosso lugar e pagar o preço por nossos pecados. Fomos *justificadas*, o que quer dizer que agora, com relação a nossos pecados, é como se nunca os tivéssemos cometido. Somos *aceitas* por Deus porque aceitamos Cristo em nossa vida e estamos agora "em Cristo" e seu Espírito Santo está em nós. Quando Deus olha para nós, ele vê a justiça de Jesus. E isso é maravilhoso.

SEU CAPITÃO A SALVA

Não podemos salvar a nós mesmas. Somente Jesus pode nos salvar. Sem ele, estamos perdidas. "Não há salvação em nenhum outro, pois, *debaixo do céu não há nenhum outro nome dado aos homens pelo qual devamos ser salvos*" (At 4.12).

Qualquer pessoa que invoque o nome de Jesus para esse propósito será salva. Paulo disse: "*Todo aquele que invocar o nome do Senhor será salvo*" (Rm 10.13). E disse também: "*Se você confessar com a sua boca que Jesus é Senhor e crer em seu coração que Deus o ressuscitou dentre os mortos, será salvo*" (Rm 10.9). Crer em seu coração e confessar com sua boca que Jesus é Senhor e Salvador é a confirmação disso.

Se você ainda não estabeleceu um relacionamento pessoal com Jesus, saiba que ele já a escolheu. Ele espera todos os dias que você o escolha, e você pode fazê-lo ao pedir que ele entre em seu coração e perdoe todos os seus pecados e erros do passado. Diga a Jesus que quer recebê-lo em sua vida, juntamente com tudo o que ele lhe tem reservado. Agradeça-lhe por ter morrido em seu lugar para que você pudesse viver nele por toda a eternidade e ter uma vida melhor hoje.

A segurança em nossa vida cristã depende da morte e da ressurreição de Jesus. Sem isso — se Jesus não tivesse comprado o perdão de nossos pecados ao morrer em nosso lugar —, não estaríamos perdoados e salvos de nossa própria morte. "*E, se Cristo não ressuscitou, inútil é a fé que vocês têm, e ainda estão em seus pecados*" (1Co 15.17). Nossa fé seria uma mentira, uma piada, uma fantasia indefesa. Mas ele *morreu*. E *ressuscitou*. E foi visto por muitos na terra antes de subir ao céu.

Depois que Jesus foi crucificado, os líderes religiosos judeus questionaram Pedro e João sobre o que eles estavam falando sobre Jesus. Ordenaram que os dois apóstolos não falassem mais a respeito dele, mas eles se recusaram, dizendo: "Não podemos deixar de falar do que vimos e ouvimos" (At 4.20). Garanto que você fará o mesmo, pois, quanto melhor conhecemos Cristo, mais desejamos compartilhar com os outros sobre ele. Quando compreender tudo *de que* ele a salvou e tudo *para* que ele a salvou, não conseguirá parar de falar a seu respeito.

Entregue-se a Jesus e permita que Deus tome posse de sua vida, e você jamais será possuída por coisa alguma.

SEU CAPITÃO A TORNA CO-HERDEIRA COM ELE

Quando você aceita Cristo, torna-se filha de Deus — logo, irmã de Jesus e co-herdeira com ele. Portanto, a herança de Jesus também lhe pertence. "Deus enviou seu Filho" para nos resgatar, e agora não somos mais escravos do pecado, mas, sim, filhos e filhas de Deus, e a cada um de nós "Deus também o tornou herdeiro" (Gl 4.4,7). Isso é extraordinário. Por essa razão, nunca deixe essa verdade ser minimizada em sua vida. Somente uma co-herdeira com Cristo pode ser uma guerreira de oração.

Ser guerreira de oração é um estilo de vida. Não é uma coisa temporária, que podemos levar a sério durante algum tempo e depois esquecer, ou fazer apenas quando estamos a fim. Tampouco é um fardo pesado. Quando Jesus diz "Siga-me", ele está dizendo: "Saia do perigo e venha para a segurança"; "Saia das trevas e venha para a luz"; "Saia do estresse e venha para a paz". Ele diz em Mateus 11.28-30:

> "Venham a mim, todos os que estão cansados e sobrecarregados, e eu lhes darei descanso. Tomem sobre vocês o meu jugo e aprendam de mim, pois sou manso e humilde de coração, e vocês encontrarão descanso para as suas almas. *Pois o meu jugo é suave e o meu fardo é leve.*"

O fardo que você carrega em seu coração é colocado sobre ele em oração. As coisas que ele deseja que você faça são fáceis porque *ele* faz a parte difícil. E esse é apenas o começo das bênçãos de sua herança.

SEU CAPITÃO LHE DÁ O ESPÍRITO PARA HABITAR EM VOCÊ

Jesus não está conosco em pessoa porque está assentado à direita do Pai no céu (Hb 1.3). É à direita do Pai que Jesus intercede por nós e nos concede bênçãos.

Jesus disse a seus discípulos que, quando retornasse para junto do Pai depois de sua crucificação e ressurreição, enviaria o Espírito Santo para estar *conosco* e *em* nós. Isso significa que, ao entregar sua vida a Jesus, ele lhe dá seu Espírito para habitar em você. É o sinal de que você lhe pertence.

"Vocês não estão sob o domínio da carne, mas do Espírito, se de fato o Espírito de Deus habita em vocês. E, se alguém não tem o Espírito de Cristo, não pertence a Cristo" (Rm 8.9).

Essa passagem bíblica afirma que, se você não tem o Espírito de Cristo, ainda não entregou sua vida a ele. Não estou falando de outros derramamentos ou manifestações do Espírito, pois esse é um assunto à parte. Estou falando do que acontece quando você aceita Cristo.

Quando recebemos Jesus em nossa vida, somos "selados em Cristo com o Espírito Santo da promessa" (Ef 1.13). O Espírito Santo em nós é "a garantia da nossa herança", ou seja, a herança que Deus nos dá é um fato consumado (Ef 1.14). Significa que Deus nos possui completamente e para sempre.

O Espírito de Cristo, que é o Espírito Santo de Deus habitando em você, é o *poder* de *Deus*. Deus compartilha seu poder com você. É assim que ele lhe dá poder sobre o inimigo. A Bíblia diz: "A mensagem da cruz é loucura para os que estão perecendo, mas *para nós, que estamos sendo salvos, é o poder de Deus*" (1Co 1.18). A obra de Cristo na cruz é o alicerce de nossa salvação. A ressurreição de Jesus sempre fez parte do plano de Deus, tendo frustrado os planos do inimigo e acabado com o poder dele. Isso significa que *Jesus* governa sua vida, e não o diabo.

Quando aceitamos Cristo como Salvador, somos transferidas para um novo reino e jamais precisaremos viver no reino das trevas novamente. Jesus disse: "*Eu vim ao mundo como luz*, para que todo aquele que crê em mim não permaneça nas trevas" (Jo 12.46). Não somente passaremos a eternidade com ele, como também reinaremos com ele nesta vida. E isso tudo mediante o poder do Espírito

Santo que opera em nós. Cristo "não é fraco ao tratar com vocês, mas poderoso entre vocês" (2Co 13.3).

Ao entregar sua vida a Jesus, você estabelece um relacionamento vivo com Deus e o Espírito Santo passa a habitar seu coração. É assim que ele se comunica com você. Quando seu coração estiver aberto para aquilo que ele deseja lhe falar, ouça sua orientação. Se ouvir o chamado para orar e estiver comprometida atender a ele, você será uma guerreira de oração no exército do Senhor.

Seu Capitão quer que você escolha o lado dele

Ingressamos na guerra entre Deus e o diabo tão logo entregamos nossa vida a Jesus e somos declaradas cidadãs do reino de Deus na terra. Nessa guerra, podemos estar ao lado de Deus ou ao lado do inimigo, no exército de Deus ou no exército do inimigo. As linhas de batalha foram definidas há milhares de anos. (Falaremos mais sobre isso no capítulo 3, "Reconheça quem é seu verdadeiro inimigo".) Cada uma de nós precisa decidir de que lado estará. Acreditar que é possível ficar neutra — sem escolher o lado de Deus e reconhecer a existência do inimigo — a colocará ao lado do inimigo.

É assim que algumas pessoas sem perceber escolhem o lado do mal, por achar que não têm de tomar uma decisão e podem ficar fora da guerra. Algumas pessoas *acreditam* que estão escolhendo o lado certo porque o inimigo consegue fazer os desinformados pensar que *ele* é deus. Contudo, quando caminhamos com o verdadeiro Deus — vivendo com sua Palavra em nosso coração e seguindo a orientação do Espírito Santo em nós —, somos capazes de reconhecer o impostor.

Quanto melhor você conhecer seu Capitão, mais certeza terá do lado em que está, pois ficar ao lado do inimigo seria impensável.

Ser guerreira de oração é algo que fazemos por amor ao Senhor e por desejo de servir-lhe. Nós, guerreiros e guerreiras de oração, nos tornamos "embaixadores de Cristo" (2Co 5.20). O amor de Jesus por nós não nos dá outra escolha senão viver para agradá-lo.

"O amor de Cristo nos constrange" (2Co 5.14). Só podemos escolher o lado vencedor.

Seu Capitão já derrotou o inimigo

Seu Capitão derrotou o inimigo por você e a chama para lutar com todas as vantagens possíveis, incluindo uma armadura impenetrável e as armas mais poderosas. É por isso que não precisamos temer as forças malignas. Jesus as neutralizou por completo. Mediante a cruz, ele destruiu o domínio das autoridades e das forças malignas sobre a terra (Cl 2.15). Ele não *as* destruiu, mas *destruiu* o *poder* delas para atormentar os que têm o Espírito Santo.

O inimigo só exerce poder em nossa vida se lhe dermos permissão. As pessoas que são influenciadas pelo inimigo são aquelas que, intencionalmente ou por ignorância, deram a ele lugar em sua vida. Jesus é o Senhor, e não podemos minimizar essa verdade em nosso coração nem abrir mão desse fato em nossa mente. *Nosso Capitão habita em nós por meio do Espírito, e jamais devemos nos sujeitar a outra autoridade.* Passe tempo com seu Líder, de modo que ele possa lhe dar a força e a proteção necessárias para permanecer ao lado dele na batalha. Não se esqueça, nem sequer por um momento, que Deus é maior e mais poderoso que o inimigo (1Jo 4.4). Jesus venceu. E, uma vez que está lutando ao lado dele, você também é vencedora.

Seu Capitão é o maior exemplo de guerreiro de oração

Jesus é seu melhor modelo para compreender o que significa ser uma guerreira de oração. Ele não apenas ensinava sobre a oração, mas a vivia todos os dias de seu ministério terreno. Ele orava o tempo todo. Não fazia nada sem antes orar. Enfrentou o inimigo várias vezes e triunfou sobre ele. O tempo particular de Jesus com o Pai celestial o capacitava a fazer tudo o que ele fazia.

Seus discípulos perceberam que, quando Jesus se isolava para orar, ele voltava com poder para realizar milagres. Fizeram essa ligação entre poder e oração. Não perguntaram a Jesus como obter poder; pediram que os ensinasse a orar. E Jesus lhes ensinou a oração que chamamos de "Pai-nosso" (Mt 6.9-13).

Nessa oração, Jesus nos ensina a reconhecer Deus como nosso *Pai celestial*, estabelecendo nosso relacionamento pessoal com ele na condição de filhos. Devemos entrar na presença dele em adoração e louvá-lo como santo. Oramos para que seu reino venha e que sua vontade seja feita aqui na terra como no céu — ou seja, pedimos que seu reino se estabeleça em nós, nas pessoas que amamos e no mundo em que vivemos.

Jesus também nos ensina a orar para que todas as nossas necessidades sejam satisfeitas por ele e que Deus perdoe nossos pecados assim como nós perdoamos aqueles que pecaram contra nós. Com isso, uma luz condenadora é lançada sobre todo ressentimento que possamos estar abrigando em nosso coração. Também devemos pedir força a Deus para resistir às tentações e *para ser libertas do mal*. Por último, devemos declarar seu reino e sua glória para sempre.

Na oração do Pai-nosso, o nome de Jesus não é usado porque a crucificação e a ressurreição ainda não tinham ocorrido. Ao instruir seus discípulos sobre sua morte vindoura, Jesus disse que ia preparar um lugar no céu para todos os que confiavam nele. Ele disse em João 14.12-14:

> Aquele que crê em mim fará também as obras que tenho realizado. Fará coisas ainda maiores do que estas, porque eu estou indo para o Pai. E eu farei o que vocês pedirem em meu nome, para que o Pai seja glorificado no Filho. O que vocês pedirem em meu nome, eu farei.

Isso significa que, porque entregamos a vida a Jesus, podemos realizar as coisas que ele fez ao orarmos em seu nome.

O desejo de Jesus era sempre fazer a vontade do Pai celestial e glorificá-lo. Devemos ter esse mesmo desejo em nosso coração, a fim de sermos as guerreiras de oração que Deus nos chama para ser. Devemos nos dedicar à comunhão com nosso Pai celestial e cumprir a missão de promover seu reino aqui na terra.

Devemos reconhecer que temos a mente de Cristo e nos recusar a ser conduzidas por nossos desejos carnais. Não devemos deixar o inimigo nos pressionar a fazer coisas que sabemos que são erradas para depois sofrer as consequências. Não permitiremos que o inimigo nos impeça de fazer a coisa certa por medo, negligência ou preguiça. Não nos *prenderemos* ao legalismo em vez de nos *unirmos* a Jesus e ao que ele realizou na cruz. Pois, se o fizermos, limitaremos o que Deus quer fazer *em* nós e *por meio de* nós.

Graças a Jesus, temos uma conexão direta com Deus. Quando aceitamos Cristo, recebemos o reino inabalável de Deus. Há punição severa para aqueles que descartam a revelação que recebem de Jesus. Quando ele voltar, tudo o que é terreno e temporário passará e apenas o que é eterno e divino permanecerá. Estamos recebendo um *reino inabalável* para poder servir a Deus sem medo (Hb 12.25-29). Bem-vinda ao reino de Deus.

Se você aceitou Cristo como Salvador, o poder do inimigo em sua vida foi cancelado. A menos que ele a convença a duvidar da Palavra de Deus e de tudo o que Jesus realizou, o inimigo não tem poder algum. Em vez de ouvir o inimigo, apegue-se a Deus quando ele falar com você por meio da Palavra e do Espírito Santo, e assim terá poder sobre o inimigo para o resto de sua vida.

* * *

Oração para a guerreira de oração

Senhor, tu criaste o mundo e todas as coisas na terra e no céu. És o Criador e o Sustentador da vida. Obrigada, Pai, por sustentares o mundo. Obrigada, Jesus, por me salvares, me perdoares e me libertares dos ferimentos mortais infligidos a mim por causa de meus pecados. Obrigada, Senhor, porque és sempre o mesmo. Tu és "o mesmo, ontem, hoje e para sempre" (Hb 13.8). Ajuda-me a te imitar em todas as coisas e a não me deixar levar por diversos ensinos estranhos (Hb 13.9).

Obrigada, Jesus, pela herança que nos garantiste, tanto nesta vida como na vindoura. Eu te agradeço pela grande esperança que tenho em ti. Obrigada por me escolheres antes mesmo de eu ter te escolhido. Obrigada por me protegeres do inimigo à medida que ando em teus caminhos e oro segundo tua vontade, conforme nos ensinaste em tua Palavra. Agradeço-te, pois, por haver depositado minha fé em ti e recebido teu Espírito Santo, me garantiste vida eterna contigo. Louvo-te, Senhor, porque pagaste o preço para vencer a guerra contra o inimigo de minha alma.

Escolho permanecer ao teu lado nesta guerra entre o bem e o mal. Ensina-me a ser a poderosa guerreira de oração que me chamas para ser. Capacita-me a obter domínio sobre as obras das trevas e a recuperar o território que o inimigo tomou de mim e de teu povo. Ajuda-me a permanecer firme em oração contra os ataques do inimigo em minha vida e na vida dos outros. Capacita-me a te servir, sendo conduzida por teu Espírito Santo em oração. Obrigada, Senhor, porque me proteges e às pessoas por quem oro. Obrigada por compartilhares teu poder comigo quando oro em teu nome, de modo que eu possa vencer cada batalha e derrotar o inimigo.

Oro em nome de Jesus.

Passada a tempestade, o ímpio já não existe,
mas o justo permanece firme para sempre.

PROVÉRBIOS 10.25

3
Reconheça quem é seu verdadeiro inimigo

Uma guerra não é vencida automaticamente. Antes de tudo você precisa identificar contra quem está lutando e por quê.

O que sabemos sobre nosso inimigo é o seguinte: ele é um ser criado — um anjo — que estava no céu com Deus; seu nome era Lúcifer, que significa "filho da alvorada". "Como você caiu dos céus, ó estrela da manhã, filho da alvorada! Como foi atirado à terra, você, que derrubava as nações!" (Is 14.12). Lúcifer era o líder de todos os anjos e o mais importante entre eles. Era belo e brilhante, mas o orgulho o levou a tentar tomar o poder de Deus. "Você, que dizia no seu coração: 'Subirei aos céus; erguerei o meu trono acima das estrelas de Deus'" (Is 14.13). Ele queria *ser* Deus, por isso rebelou-se contra Deus. A soberba fez que ele tentasse tomar de Deus o controle sobre o céu.

Quando houve a batalha pelo trono de Deus, Lúcifer e um terço dos anjos que tinham se rebelado com ele caíram do céu para a terra. Então ele foi chamado "Diabo ou Satanás, que engana o mundo todo. Ele e os seus anjos foram lançado à terra" (Ap 12.9).

Na terra, Satanás se tornou mestre do disfarce e seus anjos, espíritos malignos. "O próprio Satanás se disfarça de anjo de luz" (2Co 11.14). Ele é o autor da mentira e opera por meio do engano. Ele e seus espíritos malignos trabalham contra aqueles de nós que não estão ao seu lado, buscando continuamente nos afastar de Deus, da verdade e de tudo o que Deus tem para nós.

Não pense sequer um instante que, ao buscar entendimento sobre Satanás e suas forças malignas, o mundo das trevas será aberto para você. Já estamos envolvidos nele. Alguns cristãos erroneamente acreditam que, se ignorarem o reino do inimigo, o mal desaparecerá. Não é verdade. O reino do inimigo opera somente porque nós, cristãos, não estamos lutando para impedi-lo. O inimigo e seus subordinados estão sempre nos rodeando, tentando encontrar alguém para oprimir. Não nos convém tratar dos assuntos do diabo; temos de seguir Cristo, nosso Capitão, e tratar dos assuntos de nosso *Pai celestial*.

A VERDADE SOBRE A IDENTIDADE DO INIMIGO

Um bom soldado sabe que, se não identificar o inimigo, está destinado a perder a guerra. O mesmo se dá com os que lutam no exército de Deus. Apesar de Jesus ter derrotado o inimigo e obtido a vitória por nós, ainda assim devemos avançar nessa vitória. Ainda há batalhas a ser travadas em oração.

Nos tempos da Primeira e da Segunda Guerra Mundiais, mesmo com a guerra já vencida e o inimigo derrotado, havia grupos de soldados inimigos que se recusavam a desistir. Eles atacavam em meio à escuridão, onde se escondiam. Continuavam lutando uma guerra que já haviam perdido, simplesmente porque era possível. Muitas vezes nosso inimigo espiritual nos ataca e tem sucesso simplesmente a ele porque pode fazê-lo. Ele sabe que muitas pessoas não resistirão a ele porque não sabem que ele está lá ou não reconhecem seu caráter e seu modo de operar e ignoram o fato de que uma guerra está em andamento.

Tenho um parente no Exército, e ele conta que todo soldado precisa conhecer os pontos fortes e fracos do inimigo. Ele não precisa conhecer o inimigo intimamente; basta conhecer a forma como o inimigo opera e as táticas que ele usa. Nós também devemos saber identificar nosso inimigo e saber o que ele é e *não é* capaz de fazer. Precisamos conhecer seu *modus operandi*, a fim de identificar qualquer tentativa de ataque à nossa vida ou à vida dos outros.

Um perfil adequado de nosso inimigo — o inimigo de Deus — está registrado na Bíblia. Jesus, Paulo, João, Mateus e Davi fazem menção às forças espirituais malignas e como devemos reagir a elas. O Senhor e esses homens piedosos queriam que tivéssemos plena consciência da identidade de nosso inimigo. A seguir, alguns nomes do inimigo por eles mencionados, para que possamos identificar o caráter dele sempre que o virmos operar numa pessoa ou situação. O inimigo é:

- *O pai da mentira*. "Ele foi homicida desde o princípio e não se apegou à verdade, pois não há verdade nele. Quando mente, fala a sua própria língua, pois é mentiroso e pai da mentira" (Jo 8.44).
- *O ladrão*. "O ladrão vem apenas para roubar, matar e destruir; eu vim para que tenham vida, e a tenham plenamente" (Jo 10.10).
- *O grande dragão e a serpente*. "O grande dragão foi lançado fora. Ele é a antiga serpente chamada Diabo ou Satanás, que engana o mundo todo. Ele e os seus anjos foram lançados à terra" (Ap 12.9).
- *O tentador*. "O tentador aproximou-se dele e disse: 'Se és o Filho de Deus, mande que estas pedras se transformem em pães'" (Mt 4.3).
- *O vingador*. "Dos lábios das crianças e dos recém-nascidos firmaste o teu nome como fortaleza, por causa dos teus adversários, para silenciar o inimigo que busca vingança" (Sl 8.2).
- *O acusador*. "Ouvi uma forte voz do céu que dizia: 'Agora veio a salvação, o poder e o Reino do nosso Deus, e a autoridade do seu Cristo, pois foi lançado fora o acusador dos nossos irmãos, que os acusa diante do nosso Deus, dia e noite'" (Ap 12.10).
- *O mal*. "E não nos deixes cair em tentação, mas livra-nos do mal, porque teu é o Reino, o poder e a glória para sempre. Amém" (Mt 6.13).
- *O inimigo*. "Sejam alertas e vigiem. O Diabo, o inimigo de vocês, anda ao redor como leão, rugindo e procurando a quem possa devorar" (1Pe 5.8).
- *O príncipe deste mundo*. "Já não lhes falarei muito, pois o príncipe deste mundo está vindo. Ele não tem nenhum direito sobre mim" (Jo 14.30).

- *O príncipe do poder do ar*. "Vocês estavam mortos em suas transgressões e pecados, nos quais costumavam viver, quando seguiam a presente ordem deste mundo e o príncipe do poder do ar, o espírito que agora está atuando nos que vivem na desobediência" (Ef 2.1-2).

A razão de precisarmos saber tudo isso é para que coloquemos a culpa de certas coisas exatamente em quem merece. Nunca devemos culpar Deus pelo que o inimigo faz. É o inimigo quem mata e rouba, e não Deus. É o inimigo nosso adversário, acusador, tentador e pai da mentira, e não Deus. O inimigo quer destruir os planos de Deus para nossa vida. Devemos reconhecer essas coisas se quisermos triunfar sobre o inimigo nosso e *de Deus*.

A verdade sobre as mentiras do inimigo

O inimigo e seus espíritos malignos não podem possuir um cristão, mas podem tentar nos oprimir com mentiras sobre quem é Jesus, quem é Deus e quem somos em Cristo. O inimigo pode tentar nos confundir ou nos atrair para a raiva, a ansiedade, a amargura, o desespero e o medo. Não estou dizendo que não podemos entrar nessas condições por conta própria. Podemos. Mas o inimigo está sempre tentando nos fazer crer ou sentir o *oposto* do que Deus quer para nós. O inimigo faz isso ao nos convencer a aceitar suas mentiras como verdade. Uma vez que Deus nos deu livre-arbítrio, podemos pôr fim às mentiras do inimigo ao *escolher* acreditar em Deus.

Um dos principais modos de o inimigo afastar as pessoas de Deus se dá por meio do engano. Conheço a esposa do pastor de uma igreja em que fiz uma palestra muitos anos atrás que me disse nunca ter dito o nome do inimigo e nunca ter lido nenhuma passagem na Bíblia que contivesse algo sobre ele. Ela não queria que ele a notasse ou notasse sua família, de modo que decidiu negar a existência dele, pois acreditava que assim não chamaria sua atenção. Era difícil acreditar em como aquilo se opunha à verdade da Bíblia e das palavras do próprio Jesus. Não sei se o marido pensava o mesmo, mas suponho que sim. Aconteceu, então, que a vida da filha do casal foi arruinada num terrível acidente de trânsito, e o filho tinha tantos conflitos com os pais que a família acabou despedaçada. A igreja foi se esvaziando, e o pastor perdeu seu ministério. O inimigo não existe? É mesmo? Podemos certamente observar como a negação da existência do inimigo funcionou no caso deles.

Negar a existência do inimigo a ponto de nem mesmo ler passagens bíblicas que se refiram a ele coloca a pessoa exatamente na posição em que o inimigo a quer — NA IGNORÂNCIA! É uma de suas principais mentiras. E os pastores, juntamente com sua família, são os *principais* alvos. Eles estão na mira do inimigo, e é por isso que nós, guerreiras de oração, devemos orar pelo pastor de nossa igreja e por sua família, para que nenhuma arma forjada *pelo inimigo* prevaleça contra eles.

Todos os que creem em Jesus estão na mira do inimigo. O inimigo *de Deus* será sempre *nosso* inimigo. Nenhuma negação a respeito de sua existência mudará esse fato. O pastor Rice, um de meus pastores queridos, disse: "A cada passo que você se afasta de Deus, haverá alguém dizendo que você está fazendo a coisa certa". É por isso que devemos estudar a Palavra de Deus, para não permanecer na ignorância sobre quem é nosso inimigo. Devemos ser capazes de discernir entre a verdade e a mentira.

Aqueles que enfiam a cabeça num buraco em relação ao inimigo e à guerra espiritual estão fadados a receber um chute na parte mais óbvia de sua anatomia ainda exposta.

Não se deixe enganar pelo disfarce de anjo de luz do inimigo. Peça ao Espírito da verdade em você para mantê-la *longe do engano*. Do contrário, você certamente estará caminhando em direção a uma experiência dolorosa.

O primeiro engano do inimigo

No Éden, o inimigo abordou Eva na forma de uma serpente. Ele a alimentou com mentiras, oferecendo ideias contrárias àquilo que Deus tinha dito a ela e a Adão. Ele contradisse a Palavra de Deus e a convenceu a comer do único fruto proibido por Deus. Eva protestou, dizendo que Deus havia ordenado que, se comessem daquele fruto, morreriam. A serpente mentiu para a mulher e disse em Gênesis 3.4-6:

> "Certamente não morrerão! Deus sabe que, no dia em que dele comerem, seus olhos se abrirão, e vocês, como Deus, serão conhecedores do bem e do mal". Quando a mulher viu que a árvore parecia agradável ao paladar, era atraente aos olhos e, além disso, desejável para dela se obter discernimento, tomou do seu fruto, comeu-o e o deu a seu marido, que comeu também.

O inimigo a levou a questionar a Palavra de Deus, e ela caiu na armadilha.

Quando Adão e Eva desobedeceram a Deus, foram expulsos do Éden, onde desfrutavam de relacionamento íntimo com Deus e de uma vida perfeita. Desde então o homem vem tentando se aproximar de Deus e encontrar a vida perfeita.

Estamos começando a observar um padrão aqui. Rebelar-se contra Deus e violar suas regras não traz bons resultados. Qualquer pessoa que o faz é expulsa de tudo o que Deus tem para ela. Ainda que Eva tenha sido *enganada* pelo inimigo e Adão tenha *optado* pela desobediência, os resultados foram igualmente desastrosos.

O inimigo usa a mesma abordagem conosco, tentando nos fazer duvidar das palavras de Deus. Ele diz: "Vá fundo, faça isso"; "Ninguém ficará sabendo"; "Você merece"; "Deus não falou exatamente isso"; "Deus não se importa com você". E uma pessoa cujo alicerce não está na Palavra pensará que está ouvindo uma revelação divina. É por isso que devemos conhecer muito bem a Palavra de Deus. Foi pela Palavra que Jesus lidou com Satanás durante a tentação no deserto. Devemos lidar com os ataques do inimigo da mesma maneira.

O inimigo sempre tentará convencê-la a duvidar de Deus. Ele a tentará a se sentir insatisfeita com o que Deus lhe deu. Ele a levará a questionar o que Deus está fazendo ou a chamou para fazer. É por isso que você precisa conhecer com certeza quem é Deus, o que

Jesus realizou e quem você é no Senhor. Quando ouvir algo do tipo "Não tem problema fazer isso, *todo mundo está fazendo*", permaneça firme na Palavra de Deus e em oração e recuse-se a acreditar em qualquer uma dessas mentiras.

Adão e Eva tinham de se preocupar apenas com *um* mandamento do Senhor. Não havia muita memorização envolvida, mas talvez fosse bom se houvesse. Não era que Adão e Eva não soubessem o que Deus os tinha instruído a não fazer; eles simplesmente ouviram a voz errada que dizia não haver problema em não obedecer. Era o inimigo falando por meio da voz amigável da serpente.

Que esta seja uma lição para você. Não aceite sugestões ou informações de alguém que se opõe à Palavra de Deus, por mais simpática que essa pessoa pareça.

A luta entre Eva e o inimigo foi a primeira batalha registrada na Bíblia. O problema é que ela não se deu conta de que a serpente era o inimigo. A seu ver, a serpente era amiga. Acreditou na serpente em vez de confiar em Deus. Quantas vezes as pessoas são influenciadas por palavras ditas por alguém que esbanja charme, tem o sorriso cativante e a personalidade convincente e parece se importar com os outros? *Muitas vezes!* Precisamos manter nossos olhos abertos para a verdade. Temos de nos apegar a Deus e à Palavra, resistindo a qualquer pessoa que se oponha a ela.

Sua principal batalha sempre será contra o inimigo, o qual deseja impor a vontade dele em sua vida e impedir que o plano de Deus para você se realize. Cada passo de desobediência nos torna cúmplices do inimigo. Não é preciso cometer nenhum crime hediondo. Toda fofoca, inveja, frieza, indelicadeza, crueldade ou pensamentos impuros nos colocam num relacionamento com o inimigo ao mesmo tempo que entristece o Espírito Santo em nós.

Nossa guerra é sempre contra o inimigo de nossa alma, e precisamos vencer. E *venceremos*, se ficarmos perto de Deus e de sua Palavra, buscando a orientação do Espírito Santo em todas as coisas. Se resistirmos a Deus e a seus caminhos, perderemos as batalhas uma após a outra. Somos co-herdeiras com Cristo e herdaremos todas as suas vitórias, mas ainda temos de andar em seus caminhos para receber a herança completa.

Ore para que você nunca caia no engano. O apóstolo Paulo disse: "O que receio, e quero evitar, é que assim como a serpente enganou Eva com astúcia, *a mente de vocês seja corrompida e se desvie da sua sincera e pura devoção a Cristo*" (2Co 11.3). A mensagem do evangelho é simples. Cuidado com aqueles que a tornam complicada por meio de uma doutrina confusa que questiona tudo o que está na Palavra. Paulo estava preocupado que as pessoas ouvissem vozes enganosas e começassem a duvidar de tudo. Ele disse: "Se alguém lhes vem pregando um Jesus que não é aquele que pregamos, ou se vocês acolhem um espírito diferente do que acolheram ou um evangelho diferente do que aceitaram, vocês o toleram com facilidade" (2Co 11.4). Você poderá se acostumar às vozes da dúvida e começará a duvidar da voz *de Deus.*

Não ande; corra de qualquer voz que lhe diga que não existe problema em desobedecer aos mandamentos e às instruções de Deus para você.

Num momento de fraqueza, você talvez tenha dúvida e caia nas mentiras do inimigo, mas o foco é não permitir que haja momentos de fraqueza. Fortaleça-se na Palavra de Deus, em oração, louvor e adoração. Tenho certeza de que Eva se arrependeu de cair na mentira do inimigo e de que Adão se arrependeu de ter feito a escolha errada. Eles se tornaram os primeiros a comprovar que só valorizamos o que temos quando perdemos.

O inimigo quer destruir sua família

A segunda batalha registrada na Bíblia (a primeira foi o ataque do inimigo sobre Adão e Eva) também ocorreu dentro de uma família. Não raro, nossas maiores batalhas consistem em manter firmes nossos relacionamentos familiares. As lutas entre irmãos, pais e filhos, marido e mulher ou quaisquer outros membros da família são bastante antigas. E quem você acha que mais se agradaria com a dissolução de nossos relacionamentos familiares? O inimigo, é claro. Infelizmente, muitas pessoas não entendem isso e acabam caindo na armadilha do inimigo ao agir com frieza, crueldade, egoísmo e desconsideração com seus familiares, permitindo assim que laços sejam destruídos só porque pensam que têm o direito de fazê-lo. A batalha por nossa família é uma luta que temos de vencer. A derrota nessa batalha resulta em grandes prejuízos.

A primeira batalha familiar na Bíblia se deu entre dois irmãos. Um deles, Abel, fez a coisa certa e adorou a Deus da forma adequada. O outro, Caim, não o fez. Por causa disso, Abel recebeu aprovação de Deus, mas Caim não a recebeu. Com ciúmes de Abel e do favor de Deus, Caim concluiu que o único jeito de resolver o problema era assassinar o irmão.

Deus perguntou a Caim por que ele estava furioso com Abel, uma vez que, se fizesse a coisa certa, ele também ganharia o favor divino. Disse ele a Caim: "Se você fizer o bem, não será aceito? Mas se não o fizer saiba que o pecado o ameaça à porta; ele deseja conquistá-lo, mas você deve dominá-lo" (Gn 4.7). Precisamos lembrar que o pecado nos espera à porta. O inimigo está sempre criando armadilhas para nos fazer tropeçar e desobedecer a Deus. Mas nós *temos uma escolha. Podemos dominar o pecado*. Caim não o fez, e seu castigo foi severo, impactando toda a família. O mesmo vale para nós. Quando há um membro problemático em nossa família, não devemos travar uma batalha contra *ele* (ou *ela*). Devemos buscar Deus e orar para que essa pessoa venha a conhecer a verdade.

Por exemplo, o ciúme sempre tem raízes satânicas. Lúcifer tinha ciúme de Deus, e esse foi o motivo de sua queda. Jamais nos tornaremos tudo o que fomos criados para ser se abrigarmos o ciúme em nosso coração. Se você tem ciúme de alguém, rejeite a influência do inimigo, confesse-o diante de Deus e peça uma mudança em seu coração. Se alguém tem ciúme de você, ore para que Deus destrua essa fortaleza e abra os olhos da pessoa, a fim de que ela enxergue a verdade do amor poderoso de Deus que traz cura, restauração e bênçãos sem fim.

Não deixe o inimigo vencer a guerra por sua família. Muitas vezes, as pessoas são influenciadas pelo inimigo e agem como o próprio, mas lembre-se de que seu adversário é Satanás. Ele opera por meio das pessoas sem que elas às vezes nem se deem conta de estar sendo usadas. Ele usa os desejos pecaminosos das pessoas para atraí-las, e elas cumprem as ordens dele. Se sua família estiver dividida em algum aspecto, saiba que essa não é a vontade de Deus. É o plano do inimigo. Se em sua vida já ocorreu a destruição de relacionamentos familiares importantes, ore pelas pessoas envolvidas, para que enxerguem a atuação do inimigo e resistam a ele voltando-se para Deus. Se elas se recusarem a fazê-lo, entregue-as nas mãos de Deus. Ele possui ferramentas de persuasão bem mais eficientes que as suas.

O inimigo quer que o pecado reine em nossa vida

Quando Jesus estava prestes a ser preso e condenado à morte, disse a seus discípulos: "Já não lhes falarei muito, *pois o príncipe deste mundo está vindo. Ele não tem direito nenhum sobre mim*" (Jo 14.30). Satanás não tinha direito nenhum sobre Jesus porque Jesus não tinha pecados. Isso significa que o inimigo pode ter direito *sobre nós* se lhe dermos lugar em nossa mente, coração, atitude ou vontade. Se fizermos concessões quanto a andar nos caminhos de Deus, o inimigo poderá ganhar espaço em nossa vida. Satanás não pode nos possuir porque o Espírito Santo habita em nós e *ele nos possui*, mas pode fazer que nos desviemos do caminho que Deus nos preparou. Ele pode retardar as bênçãos que o Senhor tem para nós enquanto não cairmos na real e nos voltarmos para o Senhor. Não se alinhe ao inimigo ao abrigar algum tipo de pecado em sua vida.

Ao prever sua morte na cruz, Jesus disse: "Chegou a hora de ser julgado este mundo; agora será expulso o príncipe deste mundo. Mas eu, quando for levantado da terra, atrairei todos a mim" (Jo 12.31-32). A morte de Jesus na cruz derrotou o inimigo, e ele não pode nos impedir de exaltar Jesus em nosso coração.

Em outro exemplo de engano do inimigo, o apóstolo Pedro confronta um homem chamado Ananias, que reteve parte do dinheiro da venda de uma propriedade cuja totalidade ele havia prometido dar ao Senhor. Pedro disse em Atos 5.3-4:

> Ananias, *como você permitiu que Satanás enchesse o seu coração, a ponto de você mentir ao Espírito Santo* e guardar para si uma parte do dinheiro que recebeu pela propriedade? Ela não lhe pertencia? E, depois de vendida, o dinheiro não estava em seu poder? O que o levou a pensar em fazer tal coisa? *Você* não mentiu aos homens, mas sim a Deus.

Satanás inseriu o engano no coração de Ananias, e ele pecou ao mentir para os apóstolos e, portanto, para Deus. O resultado foi a morte repentina de Ananias. O que parece ser um pecado pequeno é suficiente para desencadear enormes consequências.

A cada dois ou três meses, recebo pelo correio a caixa de um suplemento alimentar com vitaminas. Vem numa embalagem plastificada impenetrável a mãos humanas. É impossível romper o selo sem utilizar algum tipo de instrumento pontiagudo. Acredite, eu tentei. O curioso é que se eu conseguir fazer um buraquinho na embalagem, por menor que seja, já venci a batalha. A embalagem se torna fragilizada por causa do pequeno furo, de modo que consigo destruir a barreira protetora.

É isso o que acontece quando abrigamos um pecado minúsculo, por menor que seja, em nossa vida. (Na verdade, não acredito que Deus considere algum pecado minúsculo.) Basta permitir que o inimigo ganhe uma abertura em nosso coração por meio do pecado e ele se insere em nossa vida. Embora *não possa* furar a barreira protetora do sangue de Cristo, ele *pode* obter acesso ao coração e à mente se deixarmos entrar um pecado — ainda que acreditemos ser um pecado minúsculo — sem confissão e arrependimento diante de Deus.

Nosso desejo é poder dizer como Jesus: "[O príncipe deste mundo] não tem direito nenhum sobre mim". O inimigo pode ter acesso à sua vida somente se você permitir a entrada dele. Paulo nos instruiu: "Não deem lugar ao Diabo" (Ef 4.27). Damos lugar ao diabo ao desobedecer a Deus de alguma maneira, idolatrando algo que o inimigo coloca diante de nós, não fugindo da tentação no primeiro momento em que ela se apresenta a nós. Uma cultura que tenta suprimir Deus ocultando informações sobre ele está fadada à destruição. À medida que o conhecimento de Deus diminui, o mal aumenta.

Jesus "se entregou a si mesmo por nossos pecados *a fim de nos resgatar desta presente era perversa*, segundo a vontade de nosso Deus e Pai" (Gl 1.4). Esta presente era perversa está dominada pelo inimigo de Deus, mas Jesus resgatou de todo poder do inimigo aqueles que nele creem. Quando recebemos Jesus em nosso coração, ficamos livres do domínio do inimigo e desta presente era perversa. Isso significa que estamos libertas de tudo o que nos separa de Deus e nos impede de prosseguir no caminho que ele nos preparou.

Concentre-se na bondade de Deus, e não na obra do inimigo

Não tente entender todas as perversidades que o inimigo faz fora daquilo que a Bíblia lhe diz. Não há necessidade. Paulo nos instrui: "Sejam sábios em relação ao que é bom, e sem malícia em relação ao que é mau. Em breve *o Deus da paz esmagará Satanás debaixo dos pés de vocês*" (Rm 16.19-20). Você precisa saber quem é seu inimigo e qual a intenção dele, mas não precisa se concentrar em suas obras malignas, a menos que o Espírito Santo lhe revele alguma coisa pela qual ele quer que você ore. Não significa que podemos cruzar os braços. Muitas pessoas pensam: "Não tenho de fazer nada, pois Deus cuidará de tudo". Não é verdade. Deus nos deu o livre-arbítrio, e somos julgados segundo o que escolhemos fazer em resposta àquilo que Deus diz. Ele ordenou que oremos. Com fervor! Sem cessar! Não pense que o inimigo não poderá vencer algumas batalhas se desobedecermos às instruções de Deus. Ele não só *pode,* como *vai* vencer. Muitos cristãos têm sido induzidos pelo inimigo a pensar que não precisam orar ou que suas orações não têm poder.

Deus nos deu o livre-arbítrio. Podemos escolher. Adoraremos a Deus *ou não*? Usaremos a Palavra de Deus como arma espiritual contra o reino das trevas *ou não*? *Nós* decidimos. Quando alinhamos *nossa vontade* à *vontade de Deus*, vemos o inimigo ser afastado de nós.

E o inimigo quer evitar justamente isso, obviamente. Ele quer nos distrair, nos enganar, nos desencorajar e nos destruir, para que os propósitos de Deus em nossa vida jamais sejam cumpridos.

Você tem a sensação de que sempre aparece algo em sua vida para derrotá-la? Se for o caso, é provável que o inimigo esteja tentando desgastá-la e desviá-la do caminho que leva ao cumprimento do plano de Deus para sua vida. Lembre-se, mesmo que você perca seu emprego, fique doente, termine um relacionamento ou o mundo ao redor pareça estar desmoronando por algum motivo, Deus ainda está no controle. Você pode estar arrasada, mas ele não está. Ele ainda enxerga o propósito supremo e o plano divino para sua vida, ainda que você não possa vê-lo no momento. Um bom futuro o espera, mas ele não acontecerá por acaso. O inimigo quer roubá-lo de você. Não permita que ele triunfe. Torne-se uma guerreira de oração conforme Deus a chama para ser e lute.

Veja o que acontece em tudo o que nos cerca: escolas, locais de trabalho, comunidades, casamentos, filhos, finanças e governos. O inimigo vem avançando em cada uma dessas áreas enquanto dormimos ou trocamos de canal; ele ergueu grandes fortalezas ao nosso redor. Não permita que ele ganhe nem mais 1 centímetro sequer. Não dê "lugar ao diabo" de maneira alguma, nem mesmo por meio da passividade (Ef 4.27). Concentre-se em Deus e naquilo que ele a chama para fazer como guerreira de oração.

O inimigo pode parecer forte, mas só Deus é todo-poderoso

O poder do inimigo é limitado, mas não o poder de Deus. O inimigo não é todo-poderoso. Somente Deus o é. O inimigo adquire poder somente porque as pessoas lhe concedem. Elas lhe dão poder porque ele as faz pensar que ele não existe. Não se concentre na força do inimigo. Concentre-se na força suprema do Senhor, para quem nada é impossível. O poder do inimigo é limitado por aquilo que lhe permitimos fazer. O poder do Senhor não tem limites, exceto quando limitamos seu acesso a nossa vida.

Em resposta àqueles que não acreditam na existência do inimigo, por que então Jesus veio para desfazer as obras do diabo? Afinal, ele disse: "O Espírito do Senhor está sobre mim, porque ele me ungiu para pregar boas novas aos pobres. Ele me enviou *para proclamar liberdade aos presos* e recuperação da vista aos cegos, *para libertar os oprimidos*" (Lc 4.18). Jesus destruiu o poder do diabo, mas ele ainda está presente e continuará aqui até o dia marcado por Deus para sua destruição.

Permaneça sob a proteção de Deus, que nos é garantida por meio do sangue de Jesus. Da mesma forma que o sangue do cordeiro sobre as portas das casas dos israelitas os protegeu quando o Senhor passou matando os primogênitos dos egípcios, o sangue de Jesus sobre você é poderoso para guardá-la dos planos do inimigo.

O inimigo quer destruir sua mente, sua saúde, seu casamento, seus relacionamentos, seus filhos, suas finanças, sua esperança e sua herança em Cristo. A Bíblia diz: "Estejam alertas e vigiem. O Diabo, o inimigo de vocês, anda ao redor como leão, rugindo e procurando a quem possa devorar" (1Pe 5.8). Esteja preparada para os ataques do inimigo, vigiando como guerreira de oração. Somos instruídas a tomar o reino de Deus pela força, pois essa é a única maneira de tirá-lo de um inimigo que se opõe a nós a cada passo do caminho. O inimigo veio para nos afastar daquilo de melhor que Deus tem para nossa vida. Quando nos voltamos para Deus, porém, ele nos protege.

O inimigo não está em toda parte. Ele só pode estar onde há uma abertura para ele. O inimigo não sabe todas as coisas nem o que passa em sua mente. Ele sabe apenas o que você *diz*. Portanto, cuidado com suas palavras. Se você diz: "Odeio minha vida e não quero mais viver", o inimigo a ajudará a conseguir aquilo que você diz querer. Se disser "Tudo posso naquele que me fortalece" ou "Louvado sejas, Senhor Jesus, eu te adoro como Salvador, Libertador e Redentor", o inimigo não terá poder e nada poderá fazer. O inimigo não está nem mesmo perto de ser tão poderoso quanto Deus. Somente Deus é todo-poderoso.

Quem rejeita a verdade de Deus será entregue ao espírito do engano

Quando as pessoas ouvem a verdade de Deus, elas têm a possibilidade de escolher, e aqueles que não recebem a verdade serão entregues ao poder sedutor.

> A vinda desse perverso é segundo a ação de Satanás, com todo o poder, com sinais e com maravilhas enganadoras. Ele fará uso de todas as formas de engano da injustiça para os que estão perecendo, *porquanto rejeitaram o amor à verdade que os poderia salvar*. Por essa razão *Deus lhes envia um poder sedutor, a fim de que creiam na mentira*, e sejam condenados todos os que não creram na verdade, mas tiveram prazer na injustiça.
>
> 2Tessalonicenses 2.9-12

É muito sério.

O inimigo pode enganar de maneira grave e contínua qualquer pessoa que rejeite a verdade.

> O Espírito diz claramente que nos últimos tempos alguns abandonarão a fé e seguirão espíritos enganadores e doutrinas de demônios. Tais ensinamentos vêm de homens hipócritas e mentirosos, que têm a consciência cauterizada.
>
> 1Timóteo 4.1-2

Observamos isso acontecer com frequência.

Já se perguntou como *você* pode enxergar a verdade de Deus de forma tão clara enquanto há quem não consiga vê-la de jeito nenhum? Isso acontece porque, em algum momento, eles *escolheram* rejeitar a verdade de Deus e acreditar na mentira. Assim, foram entregues ao engano do inimigo. Não é apenas uma condição temporária até que eles caiam em si. É uma imensa fortaleza que requer enorme libertação do Libertador, diante de grande arrependimento e despertar por parte do enganado.

Antes de aceitar Cristo, busquei várias práticas e religiões ocultistas, tentando encontrar o caminho para Deus. Um desses supostos caminhos era uma religião que afirmava não haver mal no mundo.

O mal só existia em nossa mente, de modo que, se nos livrássemos de todo o mal de nossa mente, não haveria mal em nossa vida. Até parece! É evidente que as coisas não funcionam assim. Na época, era uma religião que se espalhava em Hollywood, usando termos cristãos para dar significados a outras coisas. Quem você acredita ser o autor dessa religião? Sim, o próprio enganador. Se ele nos fizer acreditar que o mal existe apenas em nossa mente, poderá realizar qualquer coisa por nosso intermédio e nos fará acreditar que é uma boa ideia. Que engano! Essa religião cresceu bastante até o escândalo do caso Manson em Los Angeles. O assassinato de sete pessoas inocentes foi tão chocante que as pessoas já não conseguiam acreditar que o mal estava apenas na mente delas. O espírito do diabo era palpável, e era difícil negar esse fato.

Quando conheci o Senhor e finalmente pude ver a real identidade do mal, foi *libertador*. Quando entendi pela primeira vez que Jesus destruiu o poder do inimigo, foi *fortalecedor*.

Você precisa saber quem é seu inimigo. Você não pode ser *guerreira* de oração sem acreditar que há, ou que *haverá*, uma batalha. Se você não acredita que existe um inimigo, seus olhos foram cegados para a existência do mal, em conformidade com o plano dele. Você tem o poder de escolher a luz ou as trevas. Quem escolhe o caminho errado jamais conhecerá Deus.

Sim, as pessoas podem dar lugar a um espírito maligno em sua vida e ser enganadas o suficiente para cumprir suas ordens. E então coisas malignas acontecem. Mas o futuro eterno daqueles que fazem tais coisas sem arrependimento diante de Deus é uma vida inteira separada dele. Algumas pessoas não percebem que tudo de bom neste mundo resulta da benevolência de Deus. Separar-se dele não será tão divertido quanto imaginam.

O inimigo de nossa alma tentará nos oprimir. Ele nos afligirá com situações e condições cujo intuito é desencorajar, desgastar, roubar e destruir. Pode ser por meio de situações exteriores que nos acometem. Todas já vimos nos noticiários a força avassaladora das inundações. O poder destrutivo da água vai muito além da nossa imaginação. Contudo, quando o inimigo entra em nossa vida com essa magnitude de destruição, o poder do Senhor levanta uma barreira contra ele, e o inimigo se torna fraco e é incapaz de fazer alguma coisa. "Pois ele virá como uma inundação impelida pelo sopro do Senhor" (Is 59.19). Glória a Deus por isso! "O Senhor é fiel; ele os fortalecerá e os guardará do Maligno" (2Ts 3.3).

Tudo que vem de Deus é bom e puro. Tudo que vem do inimigo é corrompido. Quando vemos as pessoas odiando ou escravizando umas às outras, podemos saber com certeza que o inimigo é responsável. Quando vemos pessoas passando fome, sem ter onde morar ou sendo maltratadas, sem receber ajuda, sabemos que o inimigo é o responsável. Quando vemos pessoas sendo assassinadas, devastadas por doenças, perseguidas, vítimas de guerras, sabemos que o inimigo é o responsável. Tudo isso acontece quando as pessoas rejeitam a verdade de Deus e permitem que as mentiras do inimigo prevaleçam.

Nossas orações podem fazer a diferença.

Somos todos parte da mesma família humana. "*De um só* fez ele todos os povos, para que povoassem toda a terra, tendo determinado os tempos anteriormente estabelecidos e os lugares exatos em que deveriam habitar" (At 17.26). Deus cuida de *todos*, até mesmo das piores pessoas. Devemos orar pedindo que nossos inimigos humanos se ajoelhem em arrependimento diante de Deus. Cabe a Deus responder a essa oração.

Adão e Eva tinham domínio sobre a terra, mas perderam esse privilégio quando o inimigo os persuadiu a desobedecer. Graças a Jesus, porém, Deus nos deu novamente domínio sobre a terra. "Os mais altos céus pertencem ao Senhor, mas a terra ele a confiou ao homem" (Sl 115.16). Nós temos o controle de nossa vida, e não o inimigo. Portanto, precisamos tomar a iniciativa e *estar* no controle. E isso acontece quando guerreiros e guerreiras de oração oram.

* * *

Oração para a guerreira de oração

Senhor, obrigada porque nos deste tudo de que precisamos para permanecer firmes contra o inimigo de nossa alma. Tu és aquele que "nos dá a vitória por meio de nosso Senhor Jesus Cristo" (1Co 15.57). Reconheço a ti como meu Capitão e a ti me submeto como tua serva. Ajuda-me a te servir em oração, conforme a tua vontade. Capacita-me a resistir aos planos do inimigo em oração.

Ajuda-me constantemente a entender quem é meu inimigo e a reconhecer com clareza a atuação dele em cada circunstância. Sei que jamais trazes confusão sobre nós, mas és capaz de confundir o inimigo. Sempre que ele tentar gerar confusão em minha vida, oro para que causes confusão no terreno dele. Sei que o inimigo não chega a teus pés e que o engano é a única maneira de ele obter poder. Afasta-me de suas mentiras.

Obrigada, Senhor, por nos guardares dos perversos que agem sob o comando do inimigo. Obrigada, Jesus, porque eu posso ser liberta de "homens perversos e maus" (2Ts 3.2). Não permitas que eu sinta medo ao ver o ímpio ser bem-sucedido em seus planos terríveis. Capacita-me a lutar contra o inimigo em oração, conforme tu me chamaste para fazer.

Não deixes que eu caia em pecado nem permitas que o inimigo entre em minha vida. Quero fazer apenas aquilo que agrada a ti. Sei que tu somente estás presente em todos os lugares. Não é assim com o inimigo. Só tu és todo-poderoso e conheces todas as coisas. Nada disso é verdade em relação ao inimigo. Ajuda-me a lembrar disso sempre.

Oro em nome de Jesus.

Nossa luta não é contra seres humanos, mas contra os poderes e autoridades, contra os dominadores deste mundo de trevas, contra as forças espirituais do mal nas regiões celestiais.

Efésios 6.12

4

Tenha certeza de sua autoridade em oração

Como guerreira de oração, uma das coisas mais importantes de que você precisa ter certeza é de sua autoridade em oração. Se não estiver plenamente convicta disso, o inimigo irá bombardeá-la com dúvidas. Algumas palavras que ele adora sussurrar à nossa mente são: "Você não sabe orar"; "Deus não ouve suas orações"; "Você acha mesmo que Deus vai ouvi-la?"; "Você não tem autoridade porque não é boa o suficiente"; "Suas orações não passam do teto"; "Deus não responde às *suas* orações".

Esses tormentos são uma estratégia ofensiva do inimigo, mas poderão cessar num instante se você estiver segura de sua identidade no Senhor e de sua autoridade por meio da oração. *Todas nós* precisamos ter certeza disso; do contrário, continuaremos a duvidar de nós mesmas e de nossas orações e acabaremos derrotadas e desistindo de orar. Isso não precisa acontecer. Não tem de acontecer, jamais! Afinal, a base de sua autoridade como guerreira de oração nunca muda.

Você tem autoridade porque tem Jesus

Você se qualifica como guerreira de oração por causa daquilo que está em seu coração, lembra-se? O alicerce de sua autoridade em oração reside no fato de você ter aceitado Cristo e de o *Espírito Santo* habitar em seu coração. A Bíblia diz que Jesus "*não é fraco ao tratar com vocês, mas poderoso entre vocês*" (2Co 13.3). E diz também que Jesus "foi crucificado em fraqueza, mas vive pelo poder de Deus. Da mesma forma, somos fracos nele, mas, pelo poder de Deus, viveremos com ele para servir a vocês" (2Co 13.4).

Não é maravilhoso? Apesar de sermos fracos, o Espírito Santo *em nós* nos fortalece.

Isso alivia a pressão, pois não depende de nós; depende *do Senhor*. Nunca depende de nós. *Tudo o que temos, incluindo nossa capacidade de orar em poder, vem de Deus.* "Não que possamos reivindicar qualquer coisa com base em nossos próprios méritos, mas a nossa capacidade vem de Deus" (2Co 3.5). Basta orar conforme a direção do Espírito e deixar o resto por conta dele.

Devemos examinar e provar a nós mesmas para conferir se estamos firmes na fé, e fazemos isso ao *ler a Palavra de Deus* (2Co 13.5). Sua Palavra em nosso coração e seu Espírito Santo em nossa vida nos ajudam a viver nos caminhos de Deus. A menos que nos tenhamos desqualificado com algum tipo de pecado, pertencemos a Cristo, portanto podemos entrar na presença de Deus, orar em nome de Jesus e *Deus sempre reconhecerá nossa autoridade por meio da oração, pois somos suas filhas.* Somos parte de sua família, o que nos garante certos direitos e privilégios.

Quando meus filhos eram pequenos e o pai deles e eu estávamos no estúdio de gravação — em outras palavras, tratando dos negócios da família —, eles sabiam que podiam nos telefonar a qualquer momento e que sempre os atenderíamos imediatamente, sem hesitar. Não atendíamos às ligações de outras pessoas, mas somente às de nossos filhos. Você é filho de Deus, por isso ele sempre atenderá à sua ligação.

Sua autoridade em oração como guerreira de oração tem base no fato de que Jesus triunfou sobre o pecado, a morte, o inferno e sobre todo poder maligno ao sofrer e morrer na cruz e ressuscitar dos mortos. Em razão disso, Jesus está "muito acima de todo *governo e autoridade, poder e domínio*", ou seja, das autoridades do reino invisível (Ef 1.21). Há uma hierarquia de poderes malignos invisíveis a nossos olhos, e eles fazem avançar seus planos sombrios por meio dessas forças. Mas Jesus, cujo poder está muito acima de todas as forças malignas das trevas, disse àqueles a quem enviou que lhes tinha dado autoridade sobre "*todo o poder do inimigo*" (Lc 10.19). Esse poder se manifesta quando travamos a batalha espiritual, e isso acontece quando oramos.

Lembre-se de que o sangue derramado e a ressurreição de Jesus são a base para sua autoridade em oração sobre o poder do inimigo. Nada mais é necessário.

O fato de você ter aceitado Cristo significa que tudo o que ele realizou na cruz se aplica à sua vida. Você foi reconciliada com Deus de uma vez por todas e selada pelo Espírito Santo que habita *em* você. Tudo está consumado. Fugir com medo do inimigo é o mesmo que desconsiderar a obra de Jesus. Não estou dizendo para você andar com pessoas malignas, de jeito nenhum. Com certeza, o melhor é ficar longe delas. Mas você pode orar por elas, para que se ajoelhem diante de Deus e que suas influências malignas se evaporem como a neblina na luz do sol. Cada vez que ora, você faz brilhar *a luz do mundo* sobre o mal, e o mal não pode existir *na luz do Filho*.

Jesus é a fonte de sua autoridade e poder. Quando você o recebe em sua vida, ele compartilha com você essas duas coisas. Isso significa que você tem autoridade e poder mediante a oração com base naquilo que ele realizou. Não deixe que ninguém apague isso de sua mente e de seu coração. É a base de todo o cristianismo, e, se você se apegar a qualquer outra coisa, construirá um alicerce fraco, e o edifício estará fadado ao desmoronamento.

Construa sobre o alicerce sólido que está em Cristo.

É de suma importância que você esteja *sempre ciente* de onde vem sua autoridade em oração. Além de estar ciente, porém, você deve estar *absolutamente convencida*, sem a menor dúvida. Porque, se não souber com certeza de onde vem sua autoridade, será levada a pensar que está orando com base em seu próprio poder ou terá medo de não ter o que é necessário para ser uma guerreira de oração. A liberdade e a segurança de ser uma guerreira de oração é *saber* que apenas *Jesus* tem o que é necessário.

Não pode haver dúvidas a respeito disso.

Ter a autoridade adequada é extremamente importante. Antes de ser crucificado e ressuscitar dos mortos, nem mesmo Jesus falava por sua própria autoridade. Ele disse: "Não falei por mim mesmo, mas o Pai que me enviou me ordenou o que dizer e o que falar. [...] Portanto, o que eu digo é exatamente o que o Pai me mandou dizer" (Jo 12.49-50). Não oramos por nós mesmas, mas com a autoridade que nos é concedida por Deus.

Você precisa ter certeza disso o tempo todo, pois a certeza de sua autoridade no reino espiritual significa que você está instantaneamente pronta como guerreira de oração sempre que o Espírito Santo lhe falar ao coração. Mantenha a mente centrada no Senhor, e não no inimigo. Jesus disse: "Alegrem-se, não porque os espíritos se submetem a vocês, mas porque seus nomes estão escritos nos céus" (Lc 10.20).

Isso é muito importante.

Seu nome escrito nos céus é o registro de sua autoridade em oração.

Tome posse daquilo que *Jesus* tomou posse por *você*. Paulo disse: "Prossigo para conquistar aquilo *para o que também fui conquistado por Cristo Jesus*" (Fp 3.12, RA). Conquistar aquilo que Jesus conquistou o ajudará a entender sua autoridade em oração.

Você não vencerá as batalhas futuras se não estiver convicta de sua autoridade como guerreira de oração. Mas eu lhe garanto: as batalhas virão, seja você uma guerreira de oração ou não. Se você *for* uma guerreira de oração, poderá ter certeza de que sua autoridade estará estabelecida, devido à obra de Jesus. A seguir estão algumas coisas que Jesus fez por você, das quais devemos sempre nos lembrar.

Você tem autoridade por causa do nome de Jesus

O nome de Jesus lhe dá uma autoridade que você não pode ter sem uma legítima identificação com *ele*.

Não é simplesmente qualquer pessoa que pode usar o nome de Jesus e ser ouvida por ele. Jesus deu a nós, que estabelecemos um relacionamento com ele, a autoridade e o poder para usar o nome *dele*. Ele disse: "*O que vocês pedirem em meu nome, eu farei*" (Jo 14.14). Jesus lhe deu o direito de usar o nome *dele* como autorização para colocar seus pedidos diante do trono de Deus. Ele disse: "*Meu Pai lhes dará tudo o que pedirem em meu nome*. Até agora vocês não pediram nada em meu nome. Peçam e receberão, para que a alegria de vocês seja completa" (Jo 16.23-24). Essa é uma promessa maravilhosa, e seu significado pleno deve estar ancorado em nossa mente e em nosso coração.

O nome de Jesus é maior que todos os outros nomes.

> *Deus o exaltou à mais alta posição e lhe deu o nome que está acima de todo nome*, para que ao nome de Jesus se dobre todo joelho, nos céus, na terra e debaixo da terra, e toda língua confesse que Jesus Cristo é o Senhor, para a glória de Deus Pai.
>
> Filipenses 2.9-11

Você precisa ter essa verdade gravada em seu coração e em sua mente para que ela jamais possa ser roubada.

Não minimize o que Jesus fez por você ao questionar a autoridade que ele lhe concedeu para orar em nome dele.

A Bíblia diz, em Hebreus 2.6-8, acerca de você e eu:

> Que é o homem, para que com ele te importes? E o filho do homem, para que com ele te preocupes? *Tu o fizeste um pouco menor do que os anjos e o coroaste de glória e de honra; tudo sujeitaste debaixo dos seus pés.*

Não deixe que o inimigo o engane em relação a isso. Você conhece a verdade.

E o que Jesus fez por nós? Ele "por um pouco foi feito menor do que os anjos, Jesus, coroado de honra e de glória por ter sofrido a morte, para que, pela graça de Deus, em favor de todos, experimentasse a morte" (Hb 2.9). Quando Deus fez Jesus ressuscitar dos mortos e assentar-se à sua direita acima de todos os poderes malignos, *seu nome foi também elevado muito acima "de todo nome que se possa mencionar*, não apenas nesta era, mas também na que há de vir. Deus colocou todas as coisas debaixo de seus pés" (Ef 1.21-22).

Isso, sim, é autoridade!

E, em nome dele, Jesus concede essa autoridade a você e a mim. Temos autoridade em oração como guerreiras de oração em favor dele. Não permita que o inimigo lhe diga qualquer outra coisa. *Você tem autoridade!*

Você tem autoridade porque Jesus a resgatou da tirania do mal

Deus "*nos resgatou do domínio das trevas e nos transportou para o Reino do seu Filho* amado, em quem temos a redenção, a saber, o perdão dos pecados" (Cl 1.13-14).

A palavra "transportou", no contexto da guerra, refere-se a um exército que foi capturado e enviado para outro lugar (muitas vezes de um país para outro). Jesus nos capturou do reino das trevas e nos transportou para o reino da luz. Fomos transferidas do território do inimigo para o reino de Deus. Isso dá novo significado à autoridade que recebemos para permanecer firmes em oração contra os poderes malignos, que querem guerrear contra o reino de Deus e seu povo e nos levar de volta às trevas.

O Senhor nos deu uma posição de autoridade sobre o mal. Uma vez que entregamos a vida a Jesus Cristo, Paulo assim nos instrui: "*Continuem a viver nele,* enraizados e edificados nele, firmados na fé, como foram ensinados, transbordando de gratidão" (Cl 2.6-7). A Bíblia diz que *recebemos a plenitude* porque estamos em Jesus, "*que é o Cabeça de todo poder e autoridade*" (Cl 2.10). Isso quer dizer que nele você tem tudo de que precisa.

Porque Jesus venceu o mundo, você também pode vencê-lo. Ele disse: "Neste mundo vocês terão aflições; contudo, tenham ânimo! Eu venci o mundo" (Jo 16.33).

Quando os fariseus perguntaram a Jesus sobre a vinda do reino de Deus, ele respondeu: "O Reino de Deus não vem de modo visível" (Lc 17.20). Ou seja, não o encontraremos ao procurá-lo com os olhos. O reino está *em* nós. Jesus disse: "Eu lhe darei as chaves do Reino dos céus; *o que você ligar na terra terá sido ligado nos céus, e o que você desligar na terra terá sido desligado nos céus*" (Mt 16.19). Ele nos dá autoridade para fazer tudo isso por meio da oração. *Podemos deter e liberar as coisas!* Você pode pensar em algo que queira deter? Ou liberar?

A submissão ao Rei nos dá acesso ao reino. O problema é que às vezes desejamos as bênçãos do reino, mas não queremos ser limitadas por suas regras. E às vezes queremos respostas às nossas orações sem orar muito. Mas não podemos nos esquecer de que Deus nos resgatou e nos levanta para nos fazer "assentar nos lugares celestiais em Cristo Jesus" (Ef 2.6). Temos uma dívida enorme com Cristo! O mínimo que podemos fazer é orar, conforme ele nos pediu.

Você tem autoridade porque o Espírito Santo está em você

Jesus prometeu enviar seu Espírito Santo àqueles que nele creem, mas primeiro ele tinha de ser crucificado e ressuscitar. Ele tinha de triunfar sobre a morte e o inferno e ser revelado como o Salvador perfeito. Antes que isso tudo acontecesse, ele disse a seus discípulos: "É para o bem de vocês que vou. *Se eu não for, o Conselheiro não virá para vocês*; mas se eu for, eu o enviarei" (Jo 16.7). Novamente Jesus se referiu ao Espírito Santo como o Conselheiro, ao dizer: "Mas o Conselheiro, o Espírito Santo, que o Pai enviará em meu nome, lhes ensinará todas as coisas e lhes fará lembrar tudo o que eu lhes disse" (Jo 14.26).

O Espírito Santo em nós é a prova de nossa autoridade em oração.

Deus não poderia enviar o Espírito Santo antes porque ele não pode habitar num vaso não santificado. Somos santificadas quando aceitamos Cristo como Salvador, pois assim Deus vê a justiça de Jesus em nós e nos dá o dom do Espírito Santo para habitar em nossa vida. Não estou falando de outros derramamentos do Espírito Santo. Estou lhe dizendo o que acontece quando você recebe Jesus. Paulo disse: "Ninguém pode dizer: 'Jesus é Senhor', a não ser pelo Espírito Santo" (1Co 12.3).

O Espírito Santo em nós é a prova de que pertencemos a Deus. Por meio dele, Deus nos faz *permanecer firmes*, nos *unge* e nos *sela*. "É Deus que faz que nós e vocês *permaneçamos firmes* em Cristo. Ele nos *ungiu*, nos *selou* como sua propriedade e *pôs o seu Espírito em nossos corações como garantia do que está por vir*" (2Co 1.21-22). Que dom incrível!

A palavra "garantia" é muitas vezes utilizada no contexto financeiro para representar um depósito feito em antecipação a fim de assegurar a quitação de uma dívida. O Espírito Santo em nós é o depósito dele mesmo, feito em antecipação ao cumprimento de nosso futuro com ele nesta vida e na eternidade. E é mais que isso. O Espírito Santo *em* nós nos capacita a ser quem Deus quer que sejamos e a fazer aquilo que ele quer que façamos.

Antes de ser crucificado, Jesus disse a seus discípulos que o Espírito Santo é "o Espírito da verdade. O mundo não pode recebê-lo, porque não o vê nem o conhece. Mas vocês o conhecem, pois ele vive com vocês e *estará em vocês*" (Jo 14.17). Uma vez que o Espírito está em nós, ele nos ajuda a orar. O Espírito Santo "nos ajuda em nossa fraqueza, pois não sabemos como orar, mas o próprio Espírito intercede por nós com gemidos inexprimíveis" (Rm 8.26). Você nunca está orando sozinha, pois tem o Espírito Santo para ajudá-lo. E você nunca está sem ajuda quanto a *como* orar, pois ele a ajudará sempre que você pedir.

Tudo isso significa que você tem tudo de que necessita para ser uma poderosa guerreira de oração.

Você tem autoridade porque foi chamada

Quando um soldado é convocado para o dever, ele recebe uma missão específica e lhe é atribuído autoridade para fazer todo o necessário para cumpri-la. Quando você é chamada para orar, possui toda a autoridade para cumprir a missão que Deus lhe confiou. O problema é que muitos são chamados, mas *poucos* ouvem o chamado. Você *está* ouvindo.

É preciso superar quaisquer dúvidas que você tenha sobre si mesma como guerreira de oração. Você tem o coração, tem a autoridade concedida por Deus, tem o desejo de agradar a Deus. E você tem mais uma coisa: o chamado de Deus em sua vida.

Você é chamada para muitas coisas, e ser guerreira de oração é uma delas.

Ser guerreira de oração tem a ver com *intercessão*. No entanto, não deixe que essa palavra se torne para você tão desinteressante quanto ela possa soar. Parece ser uma palavra chata, mas tem a ver com algo bastante empolgante. Há uma boa analogia que escrevi em outro livro sobre orar com outras pessoas, e ela ilustra a intercessão com tamanha clareza que vale a pena repeti-la brevemente aqui.

Numa partida de futebol, o atacante está correndo para chutar a bola com a intenção de fazer o gol. Mas, de repente, o zagueiro do outro time se coloca à frente dele, chega à bola primeiro e inverte a situação. A bola foi *interceptada*, e o jogador que a interceptou a chuta para o *lado contrário*. No contra-ataque, o time desse zagueiro marca um gol.

A oração intercessora age da mesma forma. E é isso o que você e eu fazemos na condição de guerreiras de oração. Vemos uma situação que está seguindo para uma direção errada e intercedemos em oração, fazendo o time de Deus (do qual você faz parte) alcançar a vitória.

Há muitas coisas que Deus quer fazer na terra e na vida das pessoas, mas, se ninguém ouvir o chamado e interceder em oração, nada acontecerá.

O que Deus viu em Israel antes da época de Jesus foi que o engano, a injustiça e a opressão andavam por toda parte. Ele estava descontente porque não havia ninguém que orasse e "*admirou-se porque ninguém intercedeu*" (Is 59.16).

Mais tarde, Deus vê novamente a impiedade de Israel, onde até os profetas, os sacerdotes e os líderes religiosos oprimiam, roubavam e maltratavam os pobres e necessitados. Deus declarou: "Procurei entre eles um homem que *erguesse o muro e se pusesse na brecha* diante de mim e em favor da terra, para que eu não a destruísse, *mas não encontrei nenhum*" (Ez 22.30).

"Erguer o muro" significa reparar uma falha causada pelo inimigo na barreira de proteção. A brecha é a separação entre Deus e o homem sobre a qual o intercessor serve de ponte. Deus queria que alguém agisse como intercessor diante dele em favor de Israel e orasse para que o muro fosse restaurado. Mas ninguém tomou a iniciativa de interceptar aquela situação em oração, e Deus foi obrigado a trazer julgamento sobre o povo.

Choro todas as vezes que leio essa passagem. É muito triste o fato de a destruição ter vindo sobre a terra porque ninguém ouviu o chamado de Deus para orar. (Você se lembra do que eu disse no primeiro capítulo sobre as mulheres que oram a respeito das falhas geológicas?) Cada vez que penso nessa passagem, faço a seguinte oração: "Senhor, por favor, não permitas que ajamos assim. Ajuda-nos a ouvir teu chamado para orar". Deve ser muito triste para Deus quando ele quer fazer tanta coisa por meio de nós, mas estamos preocupadas ou distraídas demais para ouvir seu chamado à intercessão. Quantas tragédias *vieram* e *virão* sobre nós porque não estamos orando?

Orar por alguém ou por certas pessoas, ou nesse caso por uma nação inteira, significa suplicar a Deus em favor delas. Isso é intercessão. Quando Deus diz: "Ponha-se na brecha diante de mim e em favor de certas pessoas", como podemos dizer não? O inimigo quer romper a barreira de proteção em todas as áreas de nossa vida e da vida dos outros, mas podemos restaurá-la interceptando essa situação em oração.

Cada guerreira de oração é uma intercessora.

O trabalho crucial da intercessora é pôr-se diante de Deus em favor de outra pessoa ou de alguma situação que afeta não apenas os outros, mas a ela mesma e a sua família. *Quando oramos, podemos juntar as necessidades alheias aos derramamentos da misericórdia de Deus.* Deus está chamando você e eu — guerreiras de oração — a nos pôr na brecha por meio da qual o inimigo vem tentando destruir casamentos, famílias, vidas, saúdes, governos, finanças, esperanças e propósitos.

Ser uma guerreira de oração é um chamado celestial; o próprio chamado confirma sua autoridade para cumpri-lo.

Paulo orou pelos efésios para que Deus lhes desse "espírito de sabedoria e de revelação, no pleno conhecimento dele" (Ef 1.17). Ele queria que os olhos de entendimento dos efésios fossem iluminados para que conhecessem "*a esperança para a qual ele os chamou, as riquezas da gloriosa herança dele nos santos e a incomparável grandeza do seu poder para conosco, os que cremos*" (Ef 1.18-19). Nosso chamado para ser intercessoras de Deus faz parte de nossa herança.

Para receber uma herança, é necessário que haja testamento. E para que o testamento seja executado, a pessoa que o fez precisa morrer. "No caso de um testamento, é necessário que comprove a morte daquele que o fez; pois um testamento só é validado no caso de morte, uma vez que nunca vigora enquanto está vivo aquele que o fez" (Hb 9.16-17). Mas Jesus já morreu por nós, portanto os termos de seu testamento estão se cumprindo agora.

Nós, que recebemos Jesus, somos os chamados. Não somos chamados porque *somos* grandes, mas, sim, porque *ele* é grande. Deus não chama indivíduos poderosos nem "sábios segundo os padrões humanos" (1Co 1.26). "Deus escolheu o que para o mundo é fraqueza para envergonhar o que é forte" (1Co 1.27). Escolheu "o que nada é, para reduzir a nada o que é" (1Co 1.28).

Entendeu o que isso significa? Quer dizer que podemos dizer a Deus todas as razões de não sermos boas o suficiente, mas ele diz: "É justamente por isso que escolhi você". O motivo? "A fim de que ninguém se vanglorie diante dele" (1Co 1.29). Em outras palavras, não podemos levar mérito algum por aquilo que Deus faz. Portanto, se você se sente fraca e vê todas as razões do mundo para não acreditar que possa ser uma poderosa guerreira de oração, alegre-se porque terá de depender do poder de Deus que opera por seu intermédio. E é exatamente o que ele deseja: que você não se vanglorie nem pense que o mérito é seu. Pelo contrário, ele quer que todas nos convençamos de que não podemos fazer nada sem ele.

Mas por que Deus quer toda a glória? Ele é algum tipo de egomaníaco? Nada disso. Ele quer toda a glória porque somente ele é Deus. E ele quer que isso fique bem claro. Vimos exemplos anteriores de como o orgulho, mais que qualquer coisa, nos leva a tropeçar e cair.

Nossos dons e chamado não são de pouca importância para Deus. "Os dons e o chamado de Deus *são* irrevogáveis" (Rm 11.29). Isso quer dizer que Deus não volta atrás com relação a isso. Contudo, *podemos* perder nossa unção especial de Deus se o usarmos em desobediência, sem um coração arrependido. Jamais minimize ou subestime a unção de Deus sobre você, os dons que ele lhe deu ou o chamado dele para sua vida. Lembre-se sempre de que "aquele que os chama é fiel, e fará isso" (1Ts 5.24). Deus a capacitará a se tornar a poderosa guerreira de oração que ele a chama para ser.

VOCÊ TEM AUTORIDADE PORQUE FOI PERDOADA

Ser perdoada não é algo insignificante. Ser purificada e resgatada por meio do sangue de Jesus derramado na cruz em nosso favor significa que você foi perdoada de todos os seus pecados passados *antes* de tê-lo aceitado como Salvador. E agora você pode se *arrepender e confessar* quaisquer pecados subsequentes diante de Deus e encontrar perdão (Ef 1.7). Isso quer dizer que o inimigo não tem nenhum direito sobre você, a menos que você lhe dê abertura ao acreditar em suas mentiras condenatórias em vez de crer na Palavra de Deus. Jesus pôs fim à capacidade do inimigo de mantê-la cativa, pois você não está mais separada de Deus (Ef 4.8-10).

Você é uma nova pessoa, portanto o inimigo não pode condená-la por seu passado. Ele não pode dizer: "Olhe o que você fez. Você não tem autoridade sobre mim". O inimigo adora nos rebaixar por meio da condenação e assim nos privar do poder. Mas "*se alguém está em Cristo, é nova criação*. As coisas antigas já passaram; eis que surgiram coisas novas!" (2Co 5.17).

Não deixe que o inimigo diga que você não tem o direito de orar e esperar uma resposta de Deus porque você é imperfeita ou porque falhou. Tais palavras não são revelação de Deus para sua vida; são palavras do inimigo de sua alma, que tenta desencorajá-la, rebaixá-la e destruí-la. Se você tem pecados não confessados em sua vida, confesse-os com um coração arrependido diante de Deus. Do contrário, sempre que o inimigo tentar desencorajá-la de orar, agradeça a Deus porque sua autoridade em oração não depende de sua própria perfeição, mas daquilo que Jesus realizou com perfeição na cruz, porque *ele* é perfeito. Quando o inimigo tentar rebaixá-la, rebaixe-o com declarações de louvor ao Senhor.

Podemos ter certeza todos os dias de que a guerra já foi vencida por aquilo que Jesus fez na cruz. Ele assegurou nossa vitória em seu triunfo sobre a morte e o inferno. Mas a guerra ainda precisa ser travada, e está sendo travada neste momento. Cada batalha é importante. Jesus prometeu: "Estarei sempre com vocês, até o fim dos tempos" (Mt 28.20). Ele disse: "Nunca o deixarei, nunca o abandonarei" (Hb 13.5). Depois de ressuscitar, Jesus disse que Deus lhe tinha dado toda a autoridade nos céus e na terra (Mt 28.18). E ele nos delega essa autoridade para que oremos em seu nome.

O plano do inimigo é fazer você duvidar dessa autoridade e de tudo o que Deus diz a seu respeito. Mas lembre-se de que Jesus ressuscitou dos mortos, reina em poder sobre a morte e o inferno e derrama seu Espírito sobre aqueles que nele creem. Ele é a fonte de nossa força à medida que somos armadas para a guerra espiritual. Ele nos revela nosso propósito e nos capacita a avançar nele. Ele nos dá poder. E ele nunca se torna exaurido ou seco, pois é um poço profundo do qual podemos continuamente retirar água viva. Deus "é capaz de fazer infinitamente mais do que tudo o que pedimos *ou pensamos*, de acordo com o seu poder que atua em nós" (Ef 3.20).

Ao entender sua autoridade em oração, você passará a desfrutar de uma vida de oração dinâmica e empolgante. E isso é sempre bom.

* * *

Oração para a guerreira de oração

Obrigada, Jesus, porque ao te receber em minha vida eu me tornei filha de Deus. Obrigada porque pagaste o preço para que eu fosse purificada de todo pecado. Obrigada por estares assentado à direita de Deus Pai e intercederes por mim porque creio em ti e recebi teu Espírito em meu coração. Obrigada porque agora sou co-herdeira contigo de tudo aquilo que o Pai celestial reserva para seus filhos. Obrigada por me dares autoridade para orar em teu nome e saber que tu ouves as minhas orações e responde a elas segundo a tua vontade e em teu tempo.

Oro a ti, minha Fonte de esperança, para que consoles meu coração e me estabeleças em tua Palavra e na obra para a qual me chamaste (2Ts 2.16-17). Ajuda-me a resistir a todas as tentações do inimigo para desconsiderar a autoridade em oração que me deste por causa de tua vitória sobre a morte e o inferno na cruz. Faze-me sempre lembrar o poder de orar em teu nome, o dom do Espírito Santo em mim, o chamado que tens para minha vida e o fato de que me perdoaste de todo pecado, de modo que o inimigo não tenha direito nenhum sobre mim.

Senhor, ajuda-me a atuar como guerreira de oração da forma mais eficaz possível. Ensina-me a compreender a autoridade que me concedeste. Capacita-me a usar essa autoridade para destruir as fortalezas que o inimigo tenta construir em minha vida e na vida das pessoas que puseste em meu coração. Não permitas que eu tenha dúvidas acerca de minha qualificação para atuar como guerreira de oração, pois apenas *tu* me forneces aquilo de que necessito para orar com poder. Obedeço somente a ti, Senhor, e a ninguém mais. Tenho autoridade porque tenho a ti.

Capacita-me, Espírito Santo, a sempre ouvir teu chamado para orar. Ensina-me a confiar plenamente na autoridade que me concedeste como tua guerreira de oração.

Oro em nome de Jesus.

Tenham cuidado para que ninguém os escravize a filosofias vãs e enganosas, que se fundamentam nas tradições humanas e nos princípios elementares deste mundo, e não em Cristo. Pois em Cristo habita corporalmente toda a plenitude da divindade, e, por estarem nele, que é o Cabeça de todo poder e autoridade, vocês receberam a plenitude.

Colossenses 2.8-10

5
Condicione-se a ser tudo o que você pode ser

Todo bom soldado sabe que precisa estar na melhor condição física, mental e emocional possível.

Respeito e admiro todos os que servem no exército por seu empenho no treinamento e no trabalho. Sua coragem muito me impressiona. Os soldados enfrentam situações perigosas e difíceis e travam batalhas todos os dias para proteger a nação e libertar os oprimidos. São enviados a terras distantes e passam longos períodos separados da família. Sou imensamente grata a eles por seu sacrifício. Jamais poderia fazer o que essas pessoas fazem. Se dependesse de mim, os Estados Unidos teriam se rendido ao Havaí há anos.

Fico muito impressionada com o treinamento árduo e extenso pelo qual passam os SEALs, a principal força de operações especiais da Marinha dos Estados Unidos. O *expertise* deles é extraordinário. (Não tenho a menor intenção de desmerecer os outros ramos do exército americano. Acontece que esse é o único sobre o qual li o suficiente para saber um pouco do que fazem.) Primeiro, um homem não acorda um dia e decide ser um SEAL da Marinha, e se *torna* um. Ele tem de provar que é capaz, adequado, excelente e excepcional. Precisa treinar, praticar e trabalhar com a máxima dedicação para se tornar extremamente forte, ágil, instruído, experiente e preparado.

Os SEALs da Marinha levam muito a sério o condicionamento físico, a fim de realizar o que parece ser humanamente impossível. Seus atos de coragem vão além do que a maioria das pessoas consegue imaginar. O treinamento é duríssimo e o nível de habilidade, o mais elevado. O rigor desses soldados com o próprio corpo supera em muito o que qualquer um de nós que não servimos no exército seria capaz de tolerar. O treinamento não se restringe ao aspecto físico, mas inclui também os aspectos mental e emocional. Quando eles têm uma tarefa a cumprir, fazem planejamentos para toda contingência possível. Não podem se dar ao luxo de cometer um único erro durante a missão. Trabalham juntos como equipe, sempre se apoiando mutuamente e confiando totalmente uns nos outros.

Deus quer que nos preparemos para a guerra espiritual com a mesma disciplina desses soldados dedicados e corajosos. Ele quer que estejamos na melhor forma possível. Felizmente, nosso treinamento não é doloroso nem tão difícil quanto o deles. E ainda nos traz grandes recompensas.

A seguir estão as coisas mais importantes que temos de fazer para ficar em boa forma. Não é preciso fazer todas elas com perfeição *antes* de se tornar uma boa guerreira de oração. Você se torna guerreira de oração tão logo começa a orar com determinação. Mas suas orações serão mais poderosas e eficazes quando você estiver em boa forma — física, mental, emocional *e espiritual*.

Passe tempo com Deus em oração

Para nos tornarmos tudo o que Deus quer que sejamos é preciso que passemos tempo com ele em oração — entrar na presença dele e ser renovadas por ela. A comunicação de Jesus com Deus Pai era constante. Era de onde vinha seu poder, e esse mesmo poder nos é concedido quando entramos na presença de Deus Pai em nome de Jesus. Somos capacitadas da mesma forma que o Filho — pelo Espírito Santo mediante a oração.

Nosso relacionamento com Deus deve ser de amor — desejo de estar com ele —, assim como era o de Jesus com seu Pai celestial. Jesus não simplesmente pedia coisas. Ele tinha o desejo de andar e falar com Deus e estar em sua presença. Do mesmo modo que curtimos a presença de uma pessoa que amamos, gostamos de estar na presença de Deus porque o amamos e sentimos o amor dele por nós. Duvido que Jesus orasse por *obrigação*; ele o fazia por amor.

Tenho desejo de orar a meu Pai celestial em nome de Jesus porque não posso viver sem a presença dele em minha vida. Há um vazio em nossa alma que não pode ser preenchido por nada, exceto por Deus. Ele nos dá seu Espírito Santo quando aceitamos Cristo, mas espera que nos aproximemos dele para uma renovação diária. Não é que o Espírito Santo se torne fraco em nossa vida; nós é que ficamos fracas sem uma renovação frequente. Ele jamais nos deixa ou nos abandona. *Nós* o deixamos ou o abandonamos. Precisamos ser renovadas nele todos os dias. A maneira de satisfazer nossas necessidades espirituais (e todas nós as temos, quer as reconheçamos quer não) é passar tempo com nosso Pai celestial em oração.

Todas temos sentimentos, emoções e pensamentos humanos. Se não passarmos tempo com o Senhor, seremos dominadas por eles. No entanto, quando passamos tempo com Deus, nossa falta de perdão, nossa dúvida, nossa concupiscência, nosso ódio, nossa ansiedade e nossa tristeza se transformam em perdão, fé, pureza, amor, paz e alegria. Quando nos deleitamos no Senhor, *entregamos nosso caminho a ele* e confiamos nele, ele atende aos desejos de nosso coração (Sl 37.4-5).

Viva de modo agradável a Deus

Para viver de modo a agradar a Deus, precisamos tornar nosso objetivo de vida a compreensão exata do que lhe é agradável. Não podemos confiar no "achismo", nem em boatos ou "fábulas profanas e tolas" (1Tm 4.7).

A primeira maneira de agradar a Deus é guardar seus mandamentos e leis. É por isso que a maior parte de condicionar-se a ser tudo o que Deus a criou para ser é tornar-se cada vez mais firme em sua Palavra. Isso significa ler a Bíblia diariamente. Se não o fizermos, ficamos frágeis. Perdemos a firmeza. Quando a Palavra se torna distante, nós nos distanciamos de Deus.

A Bíblia diz: "É preciso que prestemos maior atenção ao que temos ouvido, para que jamais nos desviemos" (Hb 2.1). Não podemos permitir que nosso coração se desvie das coisas de Deus, pois com certeza isso acontecerá. Somos assim. Nossa natureza é egocêntrica. Desviamo-nos para nós mesmas, a menos que nos concentremos em Deus todos os dias. O coração de uma guerreira de oração é robusto, sólido e cheio de fé. A Palavra de Deus inserida em nossa rotina diária possibilita isso.

A Palavra de Deus é viva. Quando vivemos a Palavra e deixamos que ela viva em nós, ganhamos mais vida. Uma vez que a Bíblia é inspirada pelo Espírito Santo, durante a leitura o Espírito Santo a torna viva em nossa mente e alma. A cada nova leitura, ele traz mais entendimento a nosso espírito. Isso não acontece, a menos que a pessoa tenha nascido de novo espiritualmente. A razão é que o Espírito Santo nos dá entendimento espiritual que não tínhamos antes de nossos olhos espirituais terem sido abertos.

A Palavra de Deus é poderosa "e mais afiada que qualquer espada de dois gumes; ela penetra até o ponto de dividir alma e espírito, juntas e medulas, e julga os pensamentos e intenções do coração" (Hb 4.12). Ela revela discrepâncias entre sua alma e seu espírito, caso seu espírito queira obedecer a Deus, mas não sua alma. Contudo, não devemos simplesmente *ler* a Palavra; devemos *vivê-la*. Paulo disse: "Não são os que *ouvem* a Lei que são justos aos olhos de Deus; mas os que *obedecem* à Lei, estes serão declarados justos" (Rm 2.13).

Outra coisa que é agradável a Deus é seu amor por ele. Jesus igualou o amor e a obediência aos mandamentos e à lei. Ele disse: "Se alguém me ama, obedecerá à minha palavra. Meu Pai o amará, nós viremos a ele e faremos morada nele" (Jo 14.23). A promessa é que, se amarmos a Deus, seremos obedientes a ele e então teremos sua presença. Quem não quer a presença de Deus morando *nele*? Quando amamos a Deus e guardamos seus mandamentos, de fato moramos *nele* e ele, *em nós*.

Não se confunda com a ideia de que Deus está presente em todos os lugares — o que é realmente verdade. A *plenitude de sua presença*, porém, está somente onde ele é convidado a estar e apenas onde há um vaso puro em que ele possa habitar.

Ele não habitará em meio ao pecado e à desobediência, sem que haja arrependimento. Quando Paulo disse "Todos os dias enfrento a morte" (1Co 15.31), estava se referindo à morte para o pecado.

Se não confessarmos e nos arrependermos imediatamente quando percebemos que fizemos algo que não é agradável a Deus, o pecado será sempre nosso senhor. As consequências do pecado são tão mortais que perdemos todo poder quando sucumbimos a ele.

Nossa consciência sempre nos dirá a verdade. Não podemos esconder nada de Deus, pois ele sabe e vê todas as coisas. "Nada, em toda a criação, está oculto aos olhos de Deus. Tudo está descoberto e exposto diante dos olhos daquele a quem havemos de prestar contas" (Hb 4.13). Como guerreiras de oração, Deus nos usa de forma poderosa para influenciar situações e pessoas — não apenas em *nossa* vida e na vida de nossos familiares, amigos, comunidade e nação, mas em todo o mundo — e não podemos deixar nosso pecado nos atrapalhar.

Um dos motivos da vinda de Jesus foi para destruir as obras do inimigo.

> Aquele que pratica o pecado é do Diabo, porque o Diabo vem pecando desde o princípio. *Para isso o Filho de Deus se manifestou: para destruir as obras do Diabo.* Todo aquele que é nascido de Deus não pratica o pecado, porque a semente de Deus permanece nele; ele não pode estar no pecado, porque é nascido de Deus.
>
> 1João 3.8-9

Nem pense em ser uma guerreira de oração enquanto não tiver se arrependido de todo pecado em sua vida, pois o inimigo usará o pecado contra você. Cuide disso imediatamente. *Você* não pode se opor aos planos do diabo em oração se *estiver se alinhando a ele em sua vida pessoal.*

Provavelmente não somos o tipo de pessoa que assassinará alguém ou roubará um banco. Temos o coração voltado para o Senhor e queremos obedecer a seus mandamentos. Contudo, podemos cometer o pecado da dúvida. Ou podemos dizer ou fazer algo que revele falta de amor de nossa parte. Isso não é agradável a Deus. Sabemos quais de nossas práticas não glorificam a Deus. Nossa consciência nos revela, bem como a Palavra de Deus.

Quando amamos a Deus, nós obedecemos a seus mandamentos e fazemos o que lhe é agradável. Como resultado, nossa consciência se mantém limpa. "Se o nosso coração não nos condenar, temos confiança diante de Deus e *recebemos dele tudo o que pedimos, porque obedecemos aos seus mandamentos e fazemos o que lhe agrada*" (1Jo 3.21-22). Isso é crucial para recebermos respostas às nossas orações.

Relembre algum momento em que você permitiu a entrada do pecado em seu coração — pode ser o pecado da dúvida ou da falta de amor. Consegue enxergar como o pecado trouxe morte a seu corpo, seus relacionamentos, seu trabalho e sua vida? Paulo pergunta: "Que fruto colheram então das coisas das quais agora vocês se envergonham? O fim delas é a morte!" (Rm 6.21). Renuncie ao pecado como seu senhor. Diga: "Não sou escravo do pecado. Sou escrava da justiça, pois Jesus me libertou do pecado". Você não está falando com o diabo, mas, sim, declarando a verdade, e isso faz parte de exercer domínio sobre os poderes malignos.

Todos somos passíveis de pecar. Quem não crê nisso está fadado a cair. "Todos pecaram e estão destituídos da glória de Deus" (Rm 3.23). No entanto, *escolhemos* trilhar o caminho do pecado ou não. Temos a opção de recusar nossa natureza pecaminosa e participar da natureza divina. Deus nos deu "suas grandiosas e preciosas promessas, para que por elas vocês se tornassem participantes da natureza divina e fugissem da corrupção que há no mundo, causada pela cobiça" (2Pe 1.4). Esta é nossa cobiça: queremos o que queremos e quando queremos. Mas podemos escolher querer o que *Deus* quer.

Quando as pessoas ignoram a verdade e estabelecem falsas visões de Deus e da Bíblia com o intuito de justificar a si mesmas, acabam fazendo o que *querem*. Podemos ver isso em cada falsa religião edificada sobre outra pessoa que não seja Jesus. Há sempre pecado inerente aos ensinamentos dessas religiões. Ao rejeitar o Senhor e suas leis, entregam-se a seus próprios estilos de vida autodestrutivos. Mas Deus nos deu um caminho para nos tornarmos semelhantes a ele e escaparmos disso tudo. Quando recebemos Jesus, tornamo-nos "mortos para o pecado, mas vivos para Deus em Cristo Jesus" (Rm 6.11).

Não precisamos permitir que o pecado continue a dominar nossa vida, pois podemos escolher não dar lugar a ele (Rm 6.12).

Andando com Jesus, não vivemos separadas dele e de seus caminhos. O pecado deixa de ser algo natural. Se isso não acontecer, então não conhecemos realmente o Senhor. "Todo aquele que está no pecado não o viu nem o conheceu" (1Jo 3.6). Isso não significa que nunca pecaremos, pois o faremos; o pecado, no entanto, não é nosso estilo de vida. Não somos caracterizadas por um espírito de rebeldia ou iniquidade. Não estamos indefesas diante das coisas que poluem nossa vida.

A guerreira de oração deve permanecer longe do pecado. Se você tem algum pecado em sua vida, será enfraquecida por ele. O inimigo tomará conhecimento do pecado e o usará para prejudicá-la. O pecado sempre a separará de Deus, e você não verá resposta às suas orações enquanto não se afastar do pecado e se voltar para Deus. Paulo disse: "Foi para a liberdade que Cristo nos libertou. Portanto, permaneçam firmes e não se deixem submeter novamente a um jugo de escravidão" (Gl 5.1). Ou seja, não volte para uma vida que esteja abaixo do padrão que Jesus estabeleceu. Você é melhor que isso. Uma vida assim torna a morte de Jesus na cruz sem sentido.

A liberdade em Cristo não é uma licença para fazer o que queremos. Embora estejamos livres do controle do pecado e do mal, jamais devemos acreditar que somos tão espirituais a ponto de não poder falhar. Sim, falhamos. Mas, se seguirmos a direção do Espírito Santo, ele nos capacitará a viver a vida que Deus tem para nós. E *isso* sempre é agradável a Deus.

Reconheça o chamado de Deus à santidade

Deus nos chama para sermos santas como ele é santo. Antes de você colocar este livro de lado, dizendo "Isso é impossível!", quero concordar com você. Não podemos ser santas por nós mesmas. É somente pelo poder do Espírito Santo operando em nós que podemos ser santas. Paulo disse: "Deus não nos chamou para a impureza, mas para a santidade" (1Ts 4.7). Ele prossegue dizendo que, se rejeitarmos essas coisas, estamos rejeitando Deus, "que [nos] dá o seu Espírito Santo" (1Ts 4.8). Em outras palavras, estamos rejeitando tudo aquilo de que precisamos para ser santas.

A santidade é um desejo do coração de agradar a Deus e um convite ao Espírito Santo para fazer o que é necessário a fim de que nos tornemos mais parecidas com o Senhor.

A promessa de que Deus habitará entre nós e será nosso Pai deveria ser suficiente para levarmos uma vida dedicada e agradável a Deus, purificando-nos "de tudo o que contamina o corpo e o espírito, aperfeiçoando a santidade no temor de Deus" (2Co 7.1). Quando reconhecemos tudo o que o Senhor fez por nós, fazemos o que é necessário para viver em santidade, conforme lhe é agradável. "Todo aquele que nele tem esta esperança purifica-se a si mesmo, assim como ele é puro" (1Jo 3.3). Ser escrava de Deus nos conduz a uma vida de santidade (Rm 6.22). E uma vida de santidade é nosso bem mais valioso. Todos os caminhos e mandamentos de Deus visam a nosso benefício. Quando buscamos a santidade, estamos num lugar de grande segurança e bênção.

Uma vida de santidade é uma vida de poder e significado, pois Deus pode usá-la de forma poderosa e significativa.

Nem sempre reconhecemos nosso próprio pecado, a menos que leiamos a Palavra de Deus. Contudo, apesar de a Palavra iluminar nossa consciência em relação ao pecado, ela não pode *nos tornar* santas. Apenas Jesus nos salva do pecado, e somente o Espírito Santo que habita em nosso interior nos possibilita uma vida santa. Para isso, precisamos nos dedicar integralmente a Deus.

LIVRE-SE DE QUALQUER COISA EM SUA VIDA QUE NÃO GLORIFIQUE A DEUS

Deus quer que você se separe de tudo o que o separa dele. Isso inclui vícios, teimosia, inflexibilidade, escravidão, más influências, práticas perniciosas e bens materiais que não glorificam a Deus. Essas coisas podem fazer parte de nossa vida sem que nem mesmo as reconheçamos.

Não somos perfeitos. Todos, até os mais dedicados entre nós, somos passíveis de nos envolver com coisas que desagradam a Deus. Contudo, quanto mais andamos com o Senhor, mais nos tornamos cientes do que o entristece. E quanto mais conhecemos Deus, menos queremos entristecê-lo.

Deus rejeita qualquer pessoa que o desonre.

Separar-nos de coisas que não glorificam a Deus é uma questão de reverência. Com isso afirmamos que temos o temor de Deus em nosso coração. E ter o temor de Deus significa que sabemos haver consequências para os que *não* o têm, sendo a pior delas a separação de Deus. Ninguém que já sentiu o amor, a paz e a presença transformadora de Deus quer experimentar qualquer distância dele.

A corrupção invade o coração das pessoas que não temem a Deus.

Quando as pessoas sentem que não precisam prestar contas a Deus por aquilo que fazem ou possuem, estão cortejando o espírito de rebeldia. Se você vir um cristão violando a vontade de Deus de forma deliberada e arrogante, pode ter certeza de que aquela pessoa tampou a voz do Espírito Santo em seu coração há muito tempo.

Não podemos nos apegar a nada que não seja agradável a Deus. No entanto, se continuarmos apegadas a algo, mesmo depois de o Espírito Santo nos conscientizar a respeito, estamos flertando com o inimigo. Devemos pedir a Deus que nos mostre tudo aquilo de que precisamos nos separar. Às vezes não nos damos conta dos pecados que permitimos em nossa vida enquanto não pedirmos a Deus e ao Espírito Santo para trazê-los ao nosso conhecimento.

Livre-se de qualquer atitude ruim, hábito destrutivo, mentalidade errada, prática insalubre ou atividade proibida que atrapalhe seu crescimento e desenvolvimento espiritual. Isso não é ser legalista; é estar ciente da direção do Espírito Santo à medida que busca orientação. Diga: "Senhor, mostra-me se há algo em minha vida que não pertença a ti ou te desagrada, sendo prejudicial a mim nos aspectos físico, mental ou espiritual". Quando Deus lhe revelar algo, peça ajuda para se livrar de tudo em sua vida que não pertence a ele.

Recuse todo orgulho

O orgulho é a principal característica do inimigo. Quando somos orgulhosas, alinhamo-nos aos planos do inimigo. Uma vez que fomos criadas à imagem de Deus, jamais devemos pensar em nós mesmas como tendo *menos* valor do que Deus nos vê; mas também não devemos pensar em nós mesmas como *mais* valiosas do que os outros. "Ninguém tenha de si mesmo um conceito mais elevado do que deve ter" (Rm 12.3). O orgulho nos leva a nos comparar uns com os outros, quando deveríamos nos comparar apenas com os padrões de Deus. "Se alguém se considera alguma coisa, não sendo nada, engana-se a si mesmo" (Gl 6.3).

O orgulho é perigoso, e não devemos nos render a ele, porque "Deus se opõe aos orgulhosos, mas concede graça aos humildes" (Tg 4.6).

Deus quer que vivamos "de maneira digna da vocação" que recebemos — seja qual for nossa vocação pessoal —, mas ele não quer que permitamos nem mesmo um segundo de orgulho em relação a isso (Ef 4.1). Não devemos maltratar a nós mesmas com a autocrítica nem nos lamentar do que pensamos não ter. Isso também é um tipo de orgulho. A verdade é que não somos mais valiosas por causa do que fazemos; antes, nosso valor vem daquilo que Jesus realizou por nós.

Peça ao Espírito que lhe revele todo tipo de orgulho em seu coração. Ao reconhecê-lo, resista ao inimigo, confessando seu orgulho diante de Deus. Peça-lhe que a ajude a se livrar de todo orgulho.

Cumpra o mandamento de Deus para amar os outros

Deveria ser fácil distinguir entre os filhos de Deus e as ovas do inimigo, mas às vezes não é. Jesus disse que aqueles que amam seus irmãos e irmãs em Cristo são filhos de Deus. Uma das coisas que o Espírito Santo produz em nós é um amor que não tínhamos antes de conhecer o Senhor. João disse: "Desta forma sabemos quem são os filhos de Deus e quem são os filhos do Diabo: quem não pratica a justiça não procede de Deus, *tampouco quem* não ama seu irmão" (1Jo 3.10).

Quando não temos amor em nosso coração, vivemos uma vida morta. "Quem não ama permanece na morte. Quem odeia seu irmão é assassino, e vocês sabem que nenhum assassino tem a vida eterna em si mesmo" (1Jo 3.14-15).

Uau! Mais claro impossível. Quando não amamos nossos irmãos, somos semelhantes a assassinos. E isso certamente não é a previsão de um futuro cheio de bênçãos de Deus.

No que depender de você, viva em harmonia com sua família espiritual. Não estou dizendo que você tem de ser a melhor amiga de todos os membros do corpo de Cristo, mas esforce-se ao máximo para viver em paz com eles. Algumas pessoas procuram mais motivos para tratar os outros sem amor do que se esforçam para exibir o amor de Deus. Você precisa ser diferente, principalmente por ser uma guerreira de oração. Você está a serviço *do Senhor*, portanto precisa representá-lo bem.

Embora não possamos tornar uma pessoa diferente daquilo que ela escolhe ser, podemos *orar* por ela. E é isso que fazem as guerreiras de oração. Quando alguém tratá-la sem amor, ore para que Deus convença essa pessoa do pecado. Você é guerreira de oração porque seu coração tem amor a Deus. Ao orar pelos outros, você age por amor a Deus. Enquanto você ora, *ele* lhe dá amor por aquela pessoa.

Peça a Deus que lhe dê cada vez mais amor pelos outros.

Não seja descuidada com seu corpo

Deus leva esse assunto muito a sério. Ele quer que amemos e apreciemos nosso corpo e que não façamos nada para prejudicá-lo ou destruí-lo. Você jamais deve descuidar de seu corpo, tratá-lo com abuso ou negligenciá-lo, pois é um dom de Deus e o Espírito Santo habita em você, o que também é um dom precioso. Você não tem o direito de fazer o que bem entende. "Vocês não sabem que são santuário de Deus e *que* o Espírito de Deus habita em vocês? Se alguém destruir o santuário de Deus, Deus o destruirá; pois o santuário de Deus, *que são vocês*, é sagrado" (1Co 3.16-17).

Deus não gosta quando abusamos de nosso corpo. E ele deixa isso claro ao dizer que, se tornarmos nosso corpo impuro de alguma forma, ele nos entregará à destruição que aparentemente estamos buscando.

Parece bastante sério para mim.

Maltratar nosso corpo com total desrespeito pelas consequências de nossas ações não é agradável a Deus. Se você já sabe o que está fazendo errado, peça a Deus que a ajude a tomar decisões corretas. Caso não tenha certeza, peça a ele que lhe mostre o que você deve fazer diferente. O Espírito Santo o ajudará a fazer a coisa certa em cada situação. Mas é preciso que você queira a ajuda dele.

Afaste-se dos ímpios

O pecado contamina. E nem precisa ser o *seu* pecado. Assim como a levedura faz fermentar toda a massa do pão que espera para ser assada, a influência das pessoas pecaminosas com quem você se associa se espalha por você. Mesmo que esteja tentando ajudar alguém a mudar o rumo da vida, se essa pessoa continuar a resistir a seus esforços, afaste-se e entrega-a nas mãos de Deus. Paulo disse: "Não se deixem enganar: 'as más companhias corrompem os bons costumes'" (1Co 15.33). E não pense que você pode impor sua moralidade sobre os incrédulos, pois isso não funciona.

Não ande com descrentes envolvidos com práticas de idolatria, porque, se o fizer, estará cultivando relacionamentos que poderão comprometer sua caminhada com Deus. "Não se ponham em jugo desigual com descrentes. Pois o que têm em comum a justiça e a maldade? Ou que comunhão pode ter a luz com as trevas?" (2Co 6.14). "'*Saiam do meio deles e separem-se*', diz o Senhor. 'Não toquem em coisas impuras, e eu os receberei'" (2Co 6.17). Separe-se deles.

Quanto mais prezamos nossa caminhada com o Senhor e queremos agradar a Deus, mais vivemos na pureza para a qual ele nos chama. Isso nos torna mais eficazes como guerreiras de oração. Paulo disse: "Não participem das obras infrutíferas das trevas; antes, exponham-nas à luz" (Ef 5.11). Não precisamos tratar as pessoas com indiferença ou grosseria. Não precisamos agir como legalistas e calculistas, afastando as pessoas da vida vibrante no Senhor que lhes aguarda. Muitos deixam de receber Jesus por causa dos gestos frios e severos de cristãos que são melhores em criticar e julgar do que em mostrar o amor de Deus. Peça a Deus que lhe mostre se você deu abertura a um ataque do inimigo ao permitir que alguém entrasse em sua vida de modo a influenciá-la mais do que você a influencia para o reino de Deus.

Não se concentre naquilo que você não é

Muitos cristãos desconhecem o que Deus diz a respeito deles. Eles pensam no que *outra pessoa* disse a respeito deles ou sobre o que eles *dizem sobre si mesmos* em autocrítica. Não deixe que isso lhe aconteça, pois não vem do Senhor e só nos enfraquece.

Não permita que o inimigo coloque em sua cabeça pensamentos sobre o que você *não é*. Em vez disso, pense sobre o que você *pode* ser. Não se concentre naquilo que você acha que *deveria ser*. Pense naquilo que Deus diz que você é.

Deixei esta seção com poucas palavras porque o parágrafo acima diz tudo com a máxima clareza. O líder de minha igreja, o pastor James, disse essas coisas, e elas ficaram gravadas em minha mente. Eu poderia escrever mais mil palavras, mas a essência seria a mesma. Leia o parágrafo anterior novamente. Escreva-o num cartão e coloque-o em seu espelho, no criado-mudo, na porta da geladeira. É algo muito importante. Você não pode se tornar tudo o que Deus a criou para ser se duvidar do que ele diz a seu respeito.

Não permita que o inimigo lhe diga que você não é boa o suficiente, correta o suficiente, santa o suficiente, amável o suficiente ou que você simplesmente não é suficiente. Não permita que o inimigo tenha a satisfação de convencê-lo de que você jamais poderá se tornar tudo o que Deus a criou para ser. Não é verdade. Concentre-se em agradar a Deus e em descobrir o chamado dele para sua vida. Identifique-o. Ore por seu chamado. Envolva-se com ele.

Caminhe de forma a produzir o fruto do Espírito

Quando entregamos toda a nossa vida ao Senhor e somos guiadas por seu Espírito, ele produz o fruto do Espírito em nós. "O fruto do Espírito é amor, alegria, paz, paciência, amabilidade, bondade, fidelidade, mansidão e domínio próprio. Contra essas coisas não há lei" (Gl 5.22-23). Todas precisamos que essas nove características estejam em formação em nossa vida o tempo todo.

Apesar de nossa justiça decorrer da obra de Jesus na cruz, isso não nos dá o *direito* de operar sob o poder do Espírito Santo sem viver de maneira decente e íntegra. Realizar a obra de Deus não é para desobedientes ou impuros. "Os que pertencem a Cristo Jesus crucificaram a carne, com as suas paixões e os seus desejos. Se vivemos pelo Espírito, andemos também pelo Espírito" (Gl 5.24-25). Quando você tem o coração puro, as linhas de comunicação entre Deus e você se mantêm abertas, bem como o canal pelo qual o Espírito Santo pode conduzi-lo. Esta é a chave: ser conduzida pelo Espírito Santo.

Quando você opta por ser conduzida pelo Espírito, está *escolhendo* caminhar na luz. "Outrora vocês eram trevas, mas agora são luz no Senhor. Vivam como filhos da luz, *pois o fruto da luz consiste em toda bondade, justiça e verdade*; e aprendam a discernir o que é agradável ao Senhor" (Ef 5.8-10). E uma vez que o mal está proliferando, devemos viver não como insensatos, "mas como sábios, aproveitando ao máximo cada oportunidade, porque os dias são maus. Portanto, *não sejam insensatos, mas procurem compreender qual é a vontade do Senhor*" (Ef 5.15-17).

Não podemos nos dar ao luxo de viver fora da vontade de Deus.

Peça ao Senhor que a ajude a entender a vontade dele e a capacite a sempre caminhar sob a direção do Espírito Santo, e você produzirá continuamente o fruto do Espírito em sua vida.

Seja renovada em sua mente

O sistema do mundo é ímpio. Pessoas ímpias não buscam Deus. O deus deles é o apetite, a luxúria, o desejo, a ambição, o orgulho e o poder. Elas querem ter o controle das coisas e farão tudo ao alcance para obtê-lo — incluindo mentir, trair, destruir e matar. (Conhece alguém assim?). O deus delas é o inimigo de Deus e de todos os cristãos.

Quem se conforma ao sistema do mundo está se aliando ao inimigo de Deus. Não me refiro ao exuberante mundo físico que Deus criou e todas as coisas boas que nele há. Estou falando do espírito no mundo que se opõe a Deus e é controlado pelo espírito do anticristo. Não devemos nos aliar a ele. É verdade que o inimigo cega o entendimento das pessoas, mas não crer em Deus continua sendo uma escolha pessoal.

> Mas se o nosso evangelho está encoberto, para os que estão perecendo é que está encoberto. *O deus desta era cegou o entendimento* dos descrentes, para que não vejam a luz do evangelho da glória de Cristo, que é a imagem de Deus.
>
> 2Coríntios 4.3-4

Aquele cujo entendimento foi cegado jamais verá a beleza do Senhor. Deus quer que resistamos ao modo de pensar contrário a Cristo. A Bíblia nos diz em Efésios 4.17-19:

> Não vivam mais como os gentios, *que vivem na inutilidade dos seus pensamentos. Eles estão obscurecidos no entendimento* e separados da vida de Deus por causa da ignorância em que estão, *devido ao endurecimento do seu coração*. Tendo perdido toda a sensibilidade, eles se entregaram à depravação, cometendo com avidez toda espécie de impureza.

E diz também em 1João 2.15-17:

> Não amem o mundo nem o que nele há. Se alguém ama o mundo, o amor do Pai não está nele. Pois tudo o que há no mundo — a cobiça da carne, a cobiça dos olhos e a ostentação dos bens — não provém do Pai, mas do mundo. *O mundo e a sua cobiça passam, mas aquele que faz a vontade de Deus permanece para sempre.*

E ainda em Efésios 4.23-24:

> Quanto à antiga maneira de viver, vocês foram ensinados a despir-se do velho homem, que se corrompe por desejos enganosos, a serem *renovados no modo de pensar* e a revestir-se do novo homem, criado para ser semelhante a Deus em justiça e em santidade provenientes da verdade.

Para resistir ao espírito deste mundo, precisamos ter a mente renovada e clareza de pensamentos. Agradeça a Deus todos os dias porque ele nos dá a mente de Cristo.

PRATIQUE O PERDÃO

A pessoa que não sabe perdoar consome tempo e energia excessivos e está muito abaixo de quem Deus a criou para ser. Não desperdice sua vida assim. É verdade que as pessoas nos magoam a ponto de desejarmos vingança e guardar rancor daquilo que elas fizeram. Mas o perdão é um assunto de destaque na Bíblia, por isso não devemos ignorar o mandamento de Deus para perdoarmos uns os outros. Se decidirmos ignorá-lo, estaremos assumindo um grande risco. Jesus disse: "Se perdoarem as ofensas uns dos outros, o Pai celestial também lhes perdoará. *Mas se não perdoarem uns aos outros, o Pai celestial não lhes perdoará as ofensas*" (Mt 6.14-15). Não poderia ser mais claro.

A menos que pratiquemos o perdão, Deus não ouvirá nossas orações. "Se eu acalentasse o pecado no coração, o Senhor não me ouviria" (Sl 66.18). Não é que ele não *possa* ouvir nossa oração, mas ele *escolhe não ouvi-la*. Às vezes, quando pensamos que já perdoamos determinada pessoa ou ofensa, nosso coração sorrateiramente volta a abrigar o ressentimento. Isso acontece porque a mágoa pode ter raízes bastante profundas, principalmente se a ofensa foi grave ou se prolongou por muito tempo.

Se você está com dificuldade em perdoar alguém, peça a ajuda de Deus, e ele a ajudará. Ao perdoar, você se torna livre da tortura gerada pela *falta de perdão*, usada pelo inimigo para enfraquecê-la e destruí-la.

Você não quer que suas orações deixem de ser respondidas nem que as bênçãos que Deus lhe reserva sejam interrompidas. Você não quer ser enfraquecida em sua batalha espiritual. Você quer agir com base no poder concedido pelo Deus todo-poderoso a quem você serve. Portanto, peça ao Senhor que ele lhe revele qualquer falta de perdão em seu coração, a fim de que você se livre dela.

Jesus nos oferece completo perdão por nossos pecados, por isso devemos confessar diante de Deus todas as nossas transgressões e assim receber o perdão. Se você não está convencida de que foi completamente perdoada, terá de carregar um pesado fardo de condenação. Isso é tão ruim quanto a falta de perdão, outro peso para o qual seus ombros não foram projetados para carregar e que não lhe dá a liberdade de ser a pessoa que você foi chamada para ser. Uma vez que o Senhor nos perdoou, devemos perdoar uns aos outros.

CUIDADO COM O QUE VOCÊ DIZ

Nossas palavras podem comprometer nossa caminhada com Deus. É por isso que devemos pedir que o Espírito Santo monitore o que falamos *antes* de fazê-lo. A boa notícia é que Deus pode mudar nosso coração de forma a influenciar nossas palavras.

> Quem quiser amar a vida e ver dias felizes, guarde a sua língua do mal e os seus lábios da falsidade. Afaste-se do mal e faça o bem; busque a paz com perseverança. Porque os olhos do Senhor estão sobre os justos e os seus ouvidos estão atentos à sua oração, mas o rosto do Senhor volta-se contra os que praticam o mal.
>
> 1Pedro 3.10-12

Há uma conexão entre aquilo que dizemos — seja algo maligno ou não — e orações respondidas. Deus ouve nossas orações quando nossas palavras refletem sua verdade.

Quando temos a Palavra de Deus viva em nós e o Espírito Santo que habita em nós ativa esse poder, nosso coração é regenerado e renovado de um modo que somente Deus pode fazê-lo. E o resultado é que coisas boas fluem de nosso coração e são refletidas em nossas palavras. Quando nos abrimos para a verdade da Palavra de

Deus, ganhamos vida espiritual. Nossa vida é renovada diariamente. Isso nunca falha.

Jesus disse que devemos orar, dizendo: "Seja feita a tua vontade, assim na terra como no céu" (Mt 6.10). Deve ser a *nossa* vontade fazer a vontade *do Pai*, exatamente como era a vontade de Jesus. Quando entregamos nossa vida a Jesus e nascemos de novo no espírito, recebemos uma nova identidade e nos tornamos uma nova pessoa. Nosso velho homem diz: "Meu jeito é melhor". Nosso novo homem diz: "O jeito *de Deus* é o melhor". Temos de nos despir do velho homem e nos revestir do novo homem (Ef 4.22-24).

Quando nos deleitamos no Senhor, nossa vontade se torna a vontade dele. Alinhamos nosso coração ao de Deus e sujeitamos nossa vontade à dele para sermos eficazes na oração. Isso significa que devemos orar para que nossas palavras sempre glorifiquem a Deus.

Mesmo que você já seja uma guerreira de oração, continue a se preparar para se tornar uma guerreira ainda mais forte. Deus não quer que você permaneça uma criança; ele quer que você cresça nele e se assemelhe a ele cada dia mais. Ele quer usá-la de forma poderosa, principalmente à medida que seu retorno se aproxima. "Vocês não sabem que dentre todos os que correm no estádio, apenas um ganha o prêmio? Corram de tal modo que alcancem o prêmio" (1Co 9.24). Prepare-se todos os dias para ser tudo o que Deus quer que você seja, a fim de participar da corrida e ganhar o prêmio.

* * *

Oração para a guerreira de oração

Senhor, ajuda-me a sempre ter a consciência limpa diante de ti. Não permitas que nada em mim dê ao inimigo alguma razão para pensar que tem espaço para atrapalhar a tua vontade em minha vida. Ajuda-me a não me entregar a desejos pecaminosos. Capacita-me a ser santa como tu és santo, pois sei que somente teu Espírito operando em mim possibilita isso. Ajuda-me a manter a mente centrada em servir-te (1Pe 1.15-16). Sei que fui resgatada com algo bem mais precioso que ouro — o sangue de teu Filho (1Pe 1.18-19). Ajuda-me a viver de maneira digna disso.

Ensina-me a me tornar a guerreira de oração que me chamaste para ser. Ajuda-me a orar sem cessar, de modo que eu esteja sempre em contato contigo. Levo a ti cada pensamento, medo, preocupação e anseio. Quero me revestir "de profunda compaixão, bondade, humildade, mansidão e paciência" (Cl 3.12). Capacita-me a viver conforme a instrução do apóstolo Paulo: "Nunca lhes falte o zelo, sejam fervorosos no espírito, sirvam ao Senhor. Alegrem-se na esperança, sejam pacientes na tribulação, perseverem na oração" (Rm 12.11-12).

Senhor, ajuda-me a ser santa ao me separar de qualquer coisa que não é santa a teus olhos. Ensina-me a me livrar de tudo o que não glorifica a ti. Ensina-me a permanecer na liberdade para a qual me libertaste (Gl 5.1). Não quero viver abaixo de teus altos padrões para minha vida. Mostra-me tudo aquilo de que devo me afastar. Obrigada porque completarás a boa obra que começaste em mim (Fp 1.6).

Mostra-me em que aspectos sou orgulhosa para que eu me arrependa desse pecado. Não quero ser orgulhosa e perder tua graça (Tg 4.6). Ensina-me a me opor ao orgulho tal como te opões aos orgulhosos. Capacita-me a amar como tu amas. Sei que fazer o contrário não te é agradável (1Jo 3.10). Concede-me teu amor pelas pessoas de modo a fazer meu coração transbordar e se derramar em ações e orações em favor delas.

Ensina-me a cuidar de meu corpo, pois é nele que habita teu Espírito, e sei que fazer qualquer coisa que prejudique a mim mesma não é do teu agrado. Ajuda-me a enxergar o que é certo e convence-me do pecado quando eu não o perceber. Capacita-me a caminhar sempre sob a direção do teu Espírito, para que o fruto dele seja produzido em mim. Enche-me de um novo fluxo de amor, alegria, paz, paciência, amabilidade, bondade, fidelidade, mansidão e domínio próprio (Gl 5.22-23). Ajuda-me a parar de pensar naquilo que *não* sou e a me concentrar naquilo que *posso* ser. Ajuda-me a não me preocupar com o que eu *deveria* ser, mas a me concentrar naquilo que tu dizes que sou.

Oro em nome de Jesus.

Não se amoldem ao padrão deste mundo, mas transformem-se pela renovação da sua mente, para que sejam capazes de experimentar e comprovar a boa, agradável e perfeita vontade de Deus.

Romanos 12.2

6
Vista sua armadura protetora a cada manhã

Antes de iniciar uma missão, os SEALS da Marinha americana avaliam cuidadosamente seu equipamento. Cada item serve para uma coisa: proteger, lutar contra o inimigo, vencer a batalha, sobreviver e retornar com segurança. Os equipamentos são da melhor qualidade e devem estar em condições perfeitas em todos os aspectos. Uma vez que são carregados junto ao corpo, os SEALS montam o uniforme camuflado com muito cuidado e precisão. Sabem que não podem ir com segurança e eficácia para a batalha se algo importante estiver faltando ou se estiverem carregando peso excessivo. Tudo que levam consigo tem a função de facilitar e antecipar cada necessidade. Quando embarcam numa missão, estão mais que prontos.

Como guerreiras de oração, devemos fazer o mesmo. Deus não quer que carreguemos conosco nada desnecessário, pois o peso adicional atrapalhará nossa missão. Tampouco devemos ir para a batalha sem o necessário para vencer. Nossa batalha é espiritual, e nossas ações no reino espiritual são tão importantes quanto as ações de um soldado muito bem treinado, preparado e equipado no reino físico. Devemos conhecer nossas armas e sermos habilidosas em seu uso. (Falaremos mais sobre isso no capítulo 7, "Torne-se hábil no manuseio das armas espirituais".) Mas primeiro precisamos vestir a armadura que Deus nos deu a fim de permanecermos fortes contra o inimigo.

O apóstolo Paulo disse: "Fortaleçam-se no Senhor e no seu forte poder. *Vistam toda a armadura de Deus, para poderem ficar firmes contra as ciladas do Diabo*" (Ef 6.10-11). Ele não disse: "Se você for esperta, vai vestir *toda* a armadura", "Se você estiver a fim e tiver um tempinho, vista a armadura" ou "Experimente vestir a armadura pelo menos uma ou duas vezes por ano". A Palavra de Deus diz: "Vistam toda a armadura de Deus" (Ef 6.13). Não é uma sugestão; é uma *ordem*.

A Bíblia não nos teria mandado vestir toda a armadura de Deus para resistirmos ao mal se fosse possível resistir sem vestir toda a armadura.

"Ficar firmes contra" significa permanecer em oposição às forças e aos planos do mal. Refere-se àquele que se mantém em pé após a batalha e está preparado para a *próxima*. Ficar firme contra as forças do diabo certamente não significa ficar parada sem fazer nada. Se fosse para cruzar os braços até o retorno de Jesus, por que precisaríamos lutar contra o inimigo? "Nossa luta não é contra seres humanos, mas contra os poderes e autoridades, contra os dominadores deste mundo de trevas, contra as forças espirituais do mal nas regiões celestiais" (Ef 6.12). Por que Jesus nos daria armas espirituais para resistir às forças malignas se ele não quisesse que as usássemos?

A razão de vestirmos toda a armadura de Deus é a resistência ao mal. Não travamos uma guerra contra pessoas, mas contra uma hierarquia espiritual de poderes invisíveis.

As forças malignas são poderes invisíveis com estrutura e níveis de autoridade específicos. Não devemos usar nossa armadura apenas para nos proteger e nos defender — por mais importante que seja — mas também para lançar uma ofensiva contra eles. Com isso, fechamos as portas para o inimigo e abrimos as portas para a vontade de Deus ser feita na terra. Promovemos o avanço do reino de Deus.

Todo soldado sabe a hora certa de vestir seu equipamento de proteção. Os guerreiros e as guerreiras de oração precisam vestir a armadura de Deus diariamente, pois a guerra é contínua. Novas batalhas sempre precisam ser travadas para que o mal seja repelido, o reino de Deus avançado e a vontade divina feita. Nossa armadura espiritual não apenas nos protege do inimigo, mas também nos concede o necessário para fazê-lo recuar.

Antes de vestir a armadura de Deus, devemos identificar suas partes. Paulo falou sobre como identificar e lutar contra as forças do mal usando como exemplo os soldados romanos, de longe o exército mais poderoso da época. Paulo relaciona as partes da armadura dos soldados romanos com o que Deus nos deu no reino espiritual. Ele diz o seguinte:

> Mantenham-se firmes, *cingindo-se com o cinto da verdade, vestindo a couraça da justiça* e tendo *os pés calçados com a prontidão do evangelho da paz.* Além disso, *usem o escudo da fé,* com o qual vocês poderão apagar todas as setas inflamadas do Maligno. Usem *o capacete da salvação* e *a espada do Espírito*, que é a palavra de Deus. *Orem no Espírito em todas as ocasiões*, com toda oração e súplica; tendo isso em mente, *estejam atentos* e perseverem na oração por todos os santos.
>
> Efésios 6.14-18

Não é difícil. Então não olhe para mim como quem diz: "Parece trabalho demais". Lembre-se do que eu disse no primeiro capítulo sobre o que *realmente* é trabalho demais? Você pode fazer isso! Todos podemos, pois permanecemos fortes no poder e na força *de Deus*, e não em nosso próprio poder e força. Isso alivia a pressão de tentar agir por conta própria. Precisamos apenas *nos apresentar e orar*.

Algumas pessoas pensam que, visto que Jesus realizou tudo na cruz, *nós* não precisamos fazer nada. Se fosse verdade, por que Jesus nos teria ensinado a orar: "Mas livra-nos do mal" (Mt 6.13)? Por que Paulo teria dito: "Orem continuamente" (1Ts 5.17)? Sim, a *vitória* sobre o mal foi consumada na cruz, *mas o inimigo ainda está presente*. Ele foi derrotado, mas a guerra continua. E não queremos que ele vença uma única batalha enquanto estivermos lutando, principalmente porque fazemos parte da força que Deus chamou para contê-lo. Devemos ter a armadura completa de Deus nos protegendo o tempo todo para que fiquemos firmes contra os planos do inimigo não somente para nossa vida, mas também para a vida dos demais.

Quando você se levantar a cada manhã, vista sua armadura de proteção. Não deixe seu dia por conta do acaso. Tome posse dele e o entregue ao Senhor. Não permita que nada saia do controle nem dê ao inimigo um convite para entrar. Você precisa dessa armadura para conter qualquer tentativa de ataque do inimigo em sua vida e na vida das pessoas que você ama — agora e no futuro.

Vista as seguintes partes da armadura que Deus lhe dá.

Cinja-se com o cinto da verdade

Os soldados romanos cingiam-se com algo semelhante àquilo que os levantadores de peso usam para ganhar força e apoio e não machucar o tronco. Com isso os soldados tinham mais força contra o inimigo.

Nós também precisamos desse tipo de suporte para ganhar força em nosso tronco espiritual. Isso significa que devemos nos cercar da verdade e não permitir que nada além dela penetre nossos pensamentos. Significa que devemos pedir a Deus que nos mantenha livres do engano para jamais permitirmos que a mentira crie raízes. Conhecer a verdade nos liberta de toda possibilidade de engano e ilumina quaisquer trevas em nossa vida.

Isso não quer dizer simplesmente saber *sobre* a verdade. Significa conhecê-la de modo a tornar-se parte de sua vida. E não é *qualquer* verdade que o libertará, mas apenas a verdade *de Deus*. Jesus disse: "Se vocês permanecerem firmes na minha palavra, verdadeiramente serão meus discípulos. E *conhecerão a verdade, e a verdade os libertará*" (Jo 8.31-32). Quando nos envolvemos na verdade de Deus, ela nos protege e fortalece nossa essência.

O inimigo usa mentiras para confundir as pessoas e enchê-las de ansiedade e medo. O apóstolo João afirmou: "Sabemos que somos de Deus e que o mundo todo está sob o poder do Maligno" (1Jo 5.19). Quando acreditamos nas mentiras do inimigo, nosso raciocínio é confundido e somos enfraquecidas. Devemos combater diariamente as mentiras do inimigo com a verdade de Deus.

Vista a couraça da justiça

A couraça de metal dos soldados romanos lhes cobria o peito, protegendo-os de um golpe fatal no coração. A justiça perfeita de Jesus nos cobre o coração, e é o que Deus vê ao olhar para nós. Ainda assim, temos de vestir a justiça como um soldado hoje veste o colete à prova de balas. Isso significa que devemos optar por trilhar os caminhos de Deus. Não podemos estar protegidas se deliberadamente nos desviamos dos caminhos e da vontade de Deus.

Devemos escolher viver na justiça todos os dias — não por nossa força, mas por meio do Espírito Santo em nós. Precisamos reconhecer que dependemos de Deus e escolhemos viver nossa vida para *ele*. Apesar de *sermos* uma nova criação, ainda precisamos decidir *viver* como tal. Quando escolhemos diariamente viver de maneira justa, nossa vida é coberta, e nosso coração é protegido.

Quantos ataques do inimigo poderiam ter sido evitados se naquela manhã tivéssemos decidido trilhar o caminho de Deus? A cada passo que nos afastamos de Deus, a fortaleza do inimigo se torna mais firme.

Nossa couraça da justiça é a justiça de Jesus *em* nós. Ela protege nosso coração de quaisquer golpes fatais e garante que o inimigo jamais nos destruirá por causa do pecado. Por exemplo, cultivar a ira é pecado. A Bíblia diz: "'Quando vocês ficarem irados, não pequem'. Apaziguem a sua ira antes que o sol se ponha, e *não deem lugar ao Diabo*" (Ef 4.26-27). No entanto, podemos nos acertar com Deus a qualquer momento confessando nossos pecados em arrependimento. Não dê razão para o inimigo a acusar de nada. Todos os dias ore: "Senhor, mostra-me qualquer coisa em mim que não esteja certa a teus olhos para que eu a confesse diante de ti, pois escolho trilhar o *teu* caminho".

Tenha os pés calçados com a prontidão do evangelho da paz

Todo soldado aprende a proteger os pés. Eles usam botas ou calçados especiais exatamente para isso. Os soldados romanos calçavam sapatos militares reforçados. As solas cheias de cravos eram parecidas com as solas de chuteiras. Pés adequadamente protegidos permanecem firmes contra o inimigo e nos impedem de escorregar. Como guerreiras de oração, a base sobre a qual andamos precisa ser sólida e protetora. A boa notícia é que Jesus já preparou isso para nós. Ter paz *com* Deus e ter paz *em* Deus formam uma base inabalável sobre a qual podemos nos defender e permanecer firmes.

A palavra "prontidão" significa que o evangelho da paz já foi consumado, isto é, já está preparado para você. Basta caminhar nele. Deus nos reserva uma paz além de nossa compreensão. Não é que não podemos imaginar ter paz, mas, sim, que não podemos imaginar ter esse tipo de paz em meio aos problemas que experimentamos na terra.

O inimigo quer roubar nossa paz e nos manter inquietos, ansiosos, temerosos e tensos, sempre à espera de que algo terrível aconteça. O inimigo quer que não esqueçamos as coisas terríveis que ocorreram no passado e que sempre nos lembremos delas como se tivessem acontecido ontem. Deus tem cura para as lembranças dolorosas. Não é que ele nos dê amnésia. Continuaremos a nos lembrar do que aconteceu, mas não incessantemente nem com a mesma dor e tortura.

A paz é mais que simplesmente uma boa noite de sono — embora muitas pessoas *pudessem considerar isso um milagre —, mas é paz em cada parte de nosso ser, o tempo todo. Trata-se de um lugar em que você vive por causa daquele que vive em você.*

Jesus possibilitou que tivéssemos essa paz que excede todo o entendimento — o tipo de paz que nos faz prosseguir, nos dá estabilidade, nos sustenta e não nos deixa cair.

USE O ESCUDO DA FÉ

Todo soldado precisa de algo para salvaguardá-lo e protegê-lo das armas do inimigo. Na época dos romanos, as armas eram flechas e espadas. Os soldados às vezes atiravam flechas e dardos inflamados sobre muros de proteção para atear fogo nas pessoas e em suas moradias. De modo semelhante, o inimigo atira flechas e dardos espirituais com o objetivo de perfurar nosso coração, atingindo-nos com desânimo, ansiedade, medo, insegurança e incapacidade. Nosso escudo contra as flechas do inimigo é a fé, uma proteção poderosa contra todos esses ataques.

Todos nós, incluindo os descrentes, temos fé em algo ou alguém. Temos fé que o farmacêutico não nos envenenará enquanto prepara o medicamento prescrito. Temos fé que podemos andar no *shopping* sem ser assassinados. Ultimamente, porém, nossa fé parece estar se enfraquecendo em relação a esse tipo de coisas. Contudo, quando depositamos nossa fé em Deus e em seu Filho, começamos com uma fé pequena que *cresce* à medida que lemos a Palavra e passamos tempo com Deus em oração.

Como sabemos se nossa fé é forte o suficiente para servir de escudo protetor contra os ataques do inimigo? A Palavra de Deus diz que *nossa fé em Deus* e *sua fidelidade para conosco* se tornam um escudo para nós. Deus disse a Abraão: "Não tenha medo, Abrão! *Eu sou o seu escudo*; grande será a sua recompensa!" (Gn 15.1). Quando depositamos nossa fé em Deus e em sua Palavra, ele é nosso escudo e defesa. *Isso,* sim, é algo em que podemos ter fé.

Mesmo que nossa fé seja abalada um dia — acontece com todos nós enquanto não aprendermos a ter fé independentemente do que se passa ao redor — ainda podemos depender da fidelidade de Deus para nos proteger e aumentar nossa fé conforme nos abrigamos nele. Por isso, quando sentir o inimigo tentando-a em sua área de maior fraqueza, aumente sua fé, dizendo:

> Não sobreveio a vocês tentação que não fosse comum aos homens. E *Deus é fiel*; ele não permitirá que vocês sejam tentados além do que podem suportar. Mas, quando forem tentados, ele lhes providenciará um escape, para que o possam suportar.
>
> 1Coríntios 10.13

Quando o inimigo provar sua lealdade ao Senhor, concentre-se em Deus, na Palavra e na fidelidade dele para fazer aquilo que ele diz. Diga em voz alta: "O Senhor Deus é sol e escudo; o Senhor concede favor e honra; *não recusa nenhum bem aos que vivem com integridade*" (Sl 84.11).

A fé dispersa o medo e nos dá coragem. Jesus disse ao dirigente da sinagoga: "Não tenha medo; tão somente creia" (Mc 5.36). A fé nos abre possibilidades ilimitadas. Nas palavras de Jesus: "*Tudo é possível àquele que crê*" (Mc 9.23).

Nossa fé deve se tornar forte o suficiente para crermos no impossível, pois cremos no Deus do impossível, e com ele todas as coisas são possíveis.

COLOQUE O CAPACETE DA SALVAÇÃO

O capacete protege a cabeça do soldado. Nosso capacete espiritual também protege nossa cabeça. E de que nossa cabeça precisa de proteção? Das mentiras do inimigo, é claro. O inimigo quer impedi-la de entender — e viver — tudo o que a salvação significa para você. Ele quer cegá-la em relação a tudo o que você recebeu por meio da morte de Jesus na cruz. Quer convencê-la de que é desprezada, rejeitada, fraca, má, sem importância, sem esperança e indigna de ser amada. Se o inimigo não conseguir fazê-la pensar assim, ele tentará a direção oposta e a fará encher-se de orgulho. De um jeito ou de outro, a queda é certa.

Muitas vezes, pensamentos equivocados a nosso próprio respeito têm origem em nossa infância. Pessoas enganadas nos levaram a chegar a conclusões erradas sobre nossa identidade, e o inimigo nunca para de reforçar essas ideias. Ele não quer que descubramos quem realmente somos no Senhor e o que Deus reserva para nós. O desejo dele é encher nossa mente de sentimentos de culpa, desesperança e tristeza. Ele não quer que entendamos a obra completa que Jesus realizou por nós na cruz, pois sabe que, se vestirmos o capacete da salvação e formos transformados pela renovação de nossa mente, conseguiremos nos enxergar como Deus nos vê — uma pessoa por quem vale a pena morrer.

Deus nos ama, mas muitas vezes não nos consideramos dignas de ser amadas. Deus nos vê como escolhidas e aceitas, mas talvez nos vejamos como rejeitadas. Deus nos enxerga da perspectiva de quem ele nos criou para ser, mas não raro nos enxergamos a partir de nossas limitações, e não de nosso potencial. O capacete da salvação nos dá uma nova perspectiva de nós mesmas, alinhada à visão que o Pai celestial tem de nós.

Há alguns anos, meu marido e eu escrevemos uma música chamada "When I Accepted You" [Quando eu aceitei a ti]. Escrevi a letra sobre entregar a vida ao Senhor antes mesmo de perceber plenamente as consequências profundas de fazê-lo. (Debby Boone gravou a canção em dois de seus álbuns: *Choose Life* e, mais recentemente, *Morningstar*. Por favor, visite <www.debbyboone.com>). Incluí a letra neste livro porque resume o significado da salvação de um modo bastante claro e simples.

Foste pobre
Para que eu desfrutasse
Da riqueza de tua criação.
Foste castigado
Por meus pecados
Para que eu não fosse declarada culpada
Por associação.
Tomaste sobre ti tudo que eu herdei
E me deste tudo que a ti pertencia.
O que mais alguém poderia ter feito?

Quando aceitei a ti, não percebi
Que eu também seria aceita.
Demorou um tempo para entender
Que levaste sobre ti a rejeição de Deus
Para que ele jamais se afastasse de mim.
Nunca soube que eu receberia tanto
Quando aceitei a ti.

Conheceste a morte
Para que eu conhecesse a vida
E a restauração eterna.
Levaste sobre ti o mundo

Para que a semelhança de Deus
Pudesse ser aproximada de meu ser
Como uma relação de sangue.
Minhas necessidades mais profundas
Foram satisfeitas por ti na cruz.
O que mais alguém poderia ter feito?

Você é filha adotiva de Deus, o Criador de todas as coisas e Rei do Universo. Isso significa que você faz parte da realeza. Jesus sacrificou a vida para que você pudesse usar o capacete da salvação, uma coroa sobre sua cabeça para distinguir sua herança régia. Vestimos o capacete da salvação tão logo recebemos o Senhor em nossa vida, mas devemos sempre nos lembrar *do que* e *para que* Jesus nos salvou e de quem somos nele. Não devemos jamais minimizar a importância disso. Entregar a vida a Jesus nos proporciona muito mais do que poderíamos imaginar quando fazemos esse compromisso com ele.

Use o capacete da salvação todos os dias ao lembrar-se do que Jesus fez por você e porque você agora tem o direito de usá-lo como uma coroa real.

EMPUNHE A ESPADA DO ESPÍRITO, QUE É A PALAVRA DE DEUS

Satanás tentou destruir Jesus ainda na infância ao inspirar o maligno rei Herodes a matar todos os bebês do sexo masculino de Belém. Trinta anos depois, quando Jesus foi batizado e conduzido ao deserto pelo Espírito Santo, Satanás o atacou novamente. A arma de Jesus contra ele foi a Palavra de Deus, que é a "espada do Espírito".

Nenhuma batalha espiritual pode ser lutada e vencida sem nossa arma mais importante — a Palavra de Deus.

A Palavra de Deus foi inspirada pelo Espírito Santo. Cada escritor da Bíblia foi movido pelo Espírito à medida que seus dons e seu intelecto eram usados por Deus para falar *com* eles e *por meio* deles. A Palavra de Deus é tão poderosa que é *mais afiada que qualquer espada de dois gumes* (Hb 4.12). Isso significa que ela é um instrumento de *defesa* e de *ataque*. Como guerreiras de oração, precisamos das duas funções.

Uma vez que você recebe o Senhor em sua vida, o Espírito Santo em você dá vida à Palavra em sua mente, sua alma e seu espírito todas as vezes que você a lê. Algumas pessoas dizem: "Essa parte da Bíblia foi escrita apenas para o povo do Antigo Testamento, aquela parte apenas para os discípulos, aquela outra para os efésios e essa aqui apenas para os filipenses..." e assim por diante, até que a Bíblia toda é considerada nada mais que um livro de história. *Cuidado com qualquer pessoa que queira tornar a Bíblia nada mais que um livro de história*. A Bíblia é viva e tem poder no presente. "Toda a Escritura é inspirada por Deus e útil para o ensino, para a repreensão, para a correção e para a instrução na justiça, *para que o homem de Deus seja apto e plenamente preparado para toda boa obra*" (2Tm 3.16-17).

Devo dizer que quando a Bíblia diz algo do tipo "homem de Deus", como na passagem anterior, não está excluindo as mulheres. É o mesmo que dizer "humanidade", e todos sabemos que esse termo inclui as mulheres. Portanto, não se preocupe com isso. Acredite, já ouvi tantas preocupações de mulheres a esse respeito quanto de homens por serem chamados de "noiva de Cristo".

A cada leitura da Palavra de Deus, ela se enraizará mais e mais em sua mente e em seu coração. Com isso, ela a protegerá dos ataques do inimigo. O próximo capítulo ("Torne-se hábil no manuseio das armas espirituais") contém informações sobre o uso da Palavra de Deus como arma contra o inimigo, como fez Jesus. Por enquanto, vista a Palavra como uma roupa de proteção todas as manhãs. *Fale* a Palavra, *ore* a Palavra, *viva* a Palavra e *deixe que ela viva em você*, de modo que se torne parte de sua armadura.

Ore no Espírito em todas as ocasiões, com toda oração e súplica

Deus quer que sejamos persistentes na oração. É isso que significa orar sem cessar. Não é orar de forma intermitente e nos momentos de desespero, mas de forma consciente. É orar com conhecimento do que estamos fazendo e por quê. É orar sempre, com todo tipo de oração e súplica no Espírito, o que significa que a oração é suscitada pelo Espírito Santo.

Orar em todas as ocasiões significa orar sempre e nunca desistir. Quer dizer ser continuamente vigilante e perseverar na oração, a fim de ver avanços.

É importante orar segundo a vontade de Deus. "*Se pedirmos alguma coisa de acordo com a vontade de Deus*, ele nos ouvirá" (1Jo 5.14). O jeito de fazer isso é orar com a Palavra de Deus entrelaçada com nosso coração e nossas orações. "Se vocês permanecerem em mim, *e as minhas palavras permanecerem em vocês*, pedirão o que quiserem, e lhes será concedido" (Jo 15.7). É orar conforme a direção do Espírito Santo.

Depois de ensinar aos discípulos aquilo que chamamos de oração do Pai-nosso, Jesus disse:

> Suponham que um de vocês tenha um amigo e que recorra a ele à meia-noite e diga: "Amigo, empreste-me três pães, porque um amigo meu chegou de viagem, e não tenho nada para lhe oferecer". E o que estiver dentro responda: "Não me incomode. A porta já está fechada, e eu e meus filhos já estamos deitados. Não posso me levantar e lhe dar o que me pede". Eu lhes digo: embora ele não se levante para dar-lhe o pão por ser seu amigo, por causa da importunação se levantará e lhe dará tudo o que precisar.
>
> Lucas 11.5-8

Jesus está dizendo que devemos continuar a pedir.

Ele disse: "Por isso lhes digo: *Peçam*, e lhes será *dado*; *busquem*, e *encontrarão*; *batam*, e a porta lhes será *aberta*. Pois *todo o que pede, recebe; o que busca, encontra; e àquele que bate, a porta será aberta*" (Lc 11.9-10).

Jesus está dizendo que devemos continuar a orar.

Esteja atenta até o fim

Quando o soldado está em serviço, ele dorme com o equipamento de batalha. Ele não veste pijama e pantufas no campo de batalha.

Permanece vestido, em caso de um ataque surpresa. Nós fazemos o mesmo. Não tiramos nossa armadura quando vamos para a cama à noite, pois ela nos protege durante o sono. De manhã, porém, precisamos vestir nossa armadura revigorada — polida, por assim dizer — para termos proteção máxima durante todo o dia.

Parte de nossa armadura protetora é nossa própria oração. Há anos venho dizendo isto para as pessoas que participam de meus grupos de oração, e elas têm comprovado que é verdade: quando oramos, recebemos uma bênção. Embora não seja algo que esperamos, grandes recompensas nos são dadas quando oramos em resposta ao chamado de Deus em nossa vida. A oração ocasional não produz esse efeito. É a oração diária e persistente que parece acumular recompensas para nós numa poupança sagrada no céu. Estamos sempre fazendo depósitos e, quando precisarmos fazer um grande saque na terra, teremos fundo suficiente. Não tenho como lhe provar isso, mas por experiência afirmo que é verdade. Ore com frequência e persistência e você também experimentará a mesma coisa. Quanto mais orar, mais respostas verá.

Nossas orações não são respondidas como recompensa por bom comportamento, semelhante à criança que ganha sorvete, caso se comporte bem no supermercado. Nossa obediência a Deus é a prova de que estamos alinhadas à sua vontade. O mais importante não é conseguir o que *nós* queremos, mas realizar o que *Deus* quer. Nós nos deleitamos nele primeiro. "Deleite-se no SENHOR, e ele atenderá aos desejos do seu coração" (Sl 37.4).

Quando nos deleitamos nele e deixamos que o Espírito Santo nos guie em oração, coisas poderosas acontecem.

* * *

Oração para a guerreira de oração

Senhor, ajuda-me a vestir toda a armadura espiritual que me providenciaste, para que eu "fique firme contra as ciladas do diabo" todos os dias. Mostra-me como cingir a essência do meu ser com tua verdade, de modo que eu não caia em nenhum tipo de engano. Ensina-me não apenas a *conhecer* tua verdade, mas também a *viver* nela. Ajuda-me a vestir a couraça da justiça que me protege dos ataques do inimigo. Sei que tua justiça *em* mim me salvaguarda, mas também sei que não posso deixar de vestir tua justiça como um colete à prova de balas ao fazer aquilo que é certo a teus olhos. Revela-me pensamentos, atitudes e hábitos em meu coração que não são agradáveis a ti. Mostra-me o que fiz, ou que *estou prestes* a fazer, que não glorifica a ti. Quero estar ciente de tudo em mim que viola teus altos padrões para minha vida, a fim de que eu possa reconhecer minhas transgressões, confessá-las diante de ti e ser purificada.

Obrigada, Jesus, porque tenho paz além da compreensão por causa de tua obra na cruz. Ajuda-me a permanecer em segurança, com meus pés protegidos pelas boas-novas que já preparaste e asseguraste para mim. Uma vez que tenho paz *contigo* e *de* ti, posso não apenas permanecer firme, mas também avançar contra o inimigo e recuperar o território que ele nos roubou.

Obrigada porque me deste fé e a fizeste crescer mediante a tua Palavra. Não tenho fé em minha própria fé, como se eu tivesse realizado qualquer coisa por mim mesma; tenho fé em ti e em tua fidelidade, que é meu escudo protetor contra as flechas do inimigo. Como foste o escudo de Abraão e de Davi, és meu escudo também. Obrigada porque até minha fé pode ser abalada, mas tua fidelidade jamais será. "Ó Senhor dos Exércitos, como é feliz aquele que em ti confia!" (Sl 84.12). Ajuda-me a relembrar tua fidelidade em todas as ocasiões. És "a minha força e o meu escudo"; meu coração confia em ti e "[de ti] recebo ajuda" (Sl 28.7). Capacita-me a usar o escudo da fé como proteção constante contra o inimigo. Minha alma espera em ti, Senhor, pois és meu auxílio e minha proteção (Sl 33.20).

Ajuda-me a usar o capacete da salvação para proteger minha cabeça e mente todos os dias ao relembrar todas as coisas de que me salvaste, incluindo as mentiras do inimigo. Faze-me lembrar apenas aquilo que *tu* dizes sobre mim, e não as mentiras nas quais o inimigo quer que eu acredite. Obrigada, porque teu capacete da salvação protege minha mente durante a guerra. Tua salvação me dá tudo de que necessito para viver em vitória.

Ajuda-me a empunhar a espada do Espírito diariamente, pois tua Palavra não somente me *protege* do inimigo, mas é minha melhor *arma* contra ele. Capacita-me a sempre orar sob a direção do Espírito e a continuar a orar tanto quanto for preciso. Ensina-me a ser a guerreira de oração forte e inabalável que queres que eu seja, de modo que eu possa realizar tua vontade.

Oro em nome de Jesus.

A noite está quase acabando; o dia logo vem. Portanto, deixemos de lado as obras das trevas e revistamo-nos da armadura da luz.

Romanos 13.12

7
Torne-se hábil no manuseio das armas espirituais

Assim como um soldado treina com diligência o uso de suas armas para que se saia bem no combate, nós também devemos treinar o uso de nossas armas espirituais, a fim de nos sairmos bem nas batalhas que enfrentamos. Quando os SEALs da Marinha americana iniciam a execução de uma tarefa, cada um deles carrega não apenas sua arma principal, que é uma poderosa metralhadora, mas também outras armas, como uma pistola pequena, uma ou duas facas, explosivos e bastante munição, além de outros itens essenciais e específicos que lhe dão vantagem sobre o inimigo.

Antes de cada missão, os SEALs verificam suas armas com muito cuidado para garantir que são o equipamento exato para aquela tarefa específica que vão executar. Conhecem bem suas armas e adquiriram tamanha habilidade em seu manuseio que, para eles, utilizá-las é algo natural. Treinam com suas armas até nunca errar o alvo, pois não podem se dar ao luxo de cometer erros. Nós também devemos nos tornar tão acostumadas a nossas armas espirituais que operá-las se torne algo natural. Não podemos nos dar ao luxo de não fazê-lo.

Nossa arma principal é a espada do Espírito

Como guerreiras de oração do exército de Deus, devemos treinar com nossa arma principal, que é a Palavra de Deus. Ela não só faz parte de nossa armadura *protetora*, como também é uma *arma* poderosa. É bastante precisa e, se você souber manuseá-la contra o inimigo, é infalível. Se você mirar corretamente, ela sempre acerta o alvo. Quanto mais hábil no uso dessa arma, mais vantagem terá. De fato, o inimigo não tem nenhuma chance contra ela.

Nenhum soldado pode *resistir* ao inimigo sem sua arma. Nenhum soldado *ataca* seu inimigo sem a arma com que possui mais habilidade. Ele entende as capacidades da arma, está acostumado com ela e já treinou seu manuseio inúmeras vezes. As armas de um soldado são mantidas de acordo com os padrões mais elevados e estão sempre prontas para o uso. Devemos fazer o mesmo. Não podemos esperar que o inimigo nos ataque para começar a aprender sobre nossas armas espirituais; temos de conhecer cada arma agora, de modo que estejamos preparadas para qualquer coisa. A Bíblia é nossa melhor arma porque é exatamente do que precisamos para enfrentar as ameaças.

Deus não muda, pois não *precisa* mudar. Ele é perfeito e completo. E sua Palavra também. A espada do Espírito nunca é irrelevante, não importa quanto o inimigo tente fazer parecer o contrário. É por isso que você pode clamar as promessas bíblicas como verdade absoluta para sua vida. Quando Jesus foi tentado pelo inimigo no deserto, ele usou as Escrituras para alvejar as tentações do inimigo. Até o inimigo sabe que a Palavra de Deus é poderosa e infalível e que ele jamais prevalecerá sobre ela. Por isso ele teve de deixar Jesus em paz. Não conseguiu enganá-lo do modo como, infelizmente, consegue fazer com muitas de nós.

Nossa fé desempenha papel fundamental na eficácia dessa arma. E quanto mais treinamos e praticamos o conhecimento e a absorção da Palavra, mais nossa fé se desenvolve. Ela cresce à medida que *lemos* a Palavra, *citamos* a Palavra, *oramos* a Palavra e *praticamos* a Palavra. Nossa arma principal — a Palavra de Deus — adicionada à fé se torna invencível em todas as situações.

O treinamento dos atiradores de elite ocorre em período integral. Eles transformam o treino com arma num estilo de vida, a fim de que se torne parte de quem eles são. Nas missões a que são convocados, não podem errar. O tiro precisa ser certeiro. De modo semelhante, nossa melhor arma — a Palavra de Deus — deve se tornar parte de quem somos, e não apenas algo que lemos ou ouvimos. Devemos examiná-la com atenção, lê-la *na íntegra*, entendê-la e ser capazes de permanecer firmes em nosso conhecimento dela. Isso requer treino.

Por isso a importância de ler a Bíblia todos os dias. Peça ao Espírito Santo que dê vida à passagem que você estiver lendo naquele dia, de um jeito novo e profundo. O Espírito Santo a encontrará lá naquela página e fará exatamente o que você pediu. Também é fundamental memorizar alguns versículos, para que você possa sacá-los quando necessário. Se nunca fez isso, comece com apenas um versículo. Por exemplo, coloquei quatro versículos abaixo. Escolha um e leia-o várias vezes durante a semana. Escreva-o num pedaço de papel ou cartão e carregue-o com você. Cole-o no espelho ou na geladeira ou em qualquer outro lugar de fácil visualização. Expresse-o em voz alta. Proclame-o. Torne-o parte de você. Quando sentir que está gravado em sua memória, vá para o próximo e faça o mesmo. Posso lhe garantir que você precisará destas passagens bíblicas para o resto da vida. É importante tê-las fixadas com clareza e firmeza na mente e no coração quando orar.

Semana 1: "Se Deus é por nós, quem será contra nós?" (Rm 8.31).

Semana 2: "Deus não nos deu espírito de covardia, mas de poder, de amor e de equilíbrio" (2Tm 1.7).

Semana 3: "Não se amoldem ao padrão deste mundo, mas transformem-se pela renovação da sua mente, para que sejam capazes de experimentar e comprovar a boa, agradável e perfeita vontade de Deus" (Rm 12.2).

Semana 4: "Não andem ansiosos por coisa alguma, mas em tudo, pela oração e súplicas, e com ação de graças, apresentem seus pedidos a Deus. E a paz de Deus, que excede todo o entendimento, guardará o coração e a mente de vocês em Cristo Jesus" (Fp 4.6-7).

(Você encontrará mais versículos após cada oração do capítulo 12, "Faça as orações que toda guerreira de oração precisa conhecer").

A memorização das Escrituras não é algo para ser usado como condecoração de honra e autossatisfação. Você também não deve se martirizar se não memorizar passagens da Bíblia. Essa prática deve ser vista simplesmente como um instrumento de sobrevivência e combate. Em primeiro lugar, ela evita que você faça a coisa errada. "Guardei no coração a tua palavra para não pecar contra ti" (Sl 119.11). Além disso, fornece um alicerce inabalável em situações difíceis. "Os que amam a tua lei desfrutam paz, e nada há que os faça tropeçar" (Sl 119.165).

Gravar a Bíblia no coração não deve ser um desafio massacrante a ponto de causar desânimo. Deve ser uma alegria, não um fardo. Você não precisa memorizar toda a Bíblia, nem mesmo um livro ou capítulo inteiro. É claro que seria ótimo se pudesse fazê-lo, mas como guerreira de oração você deve ter os principais versículos na ponta da língua, a fim de que possa expressá-los nos momentos em que precisar deles. Não pense nisso como memorização. Pense nisso como algo que, dito tantas vezes, ficará gravado em sua mente e em seu coração.

Não enxergue isso como trabalho demais. Não é mais trabalhoso que comer. Trata-se, afinal, de *alimentar seu espírito* e *sustentar sua alma* com nutrientes, força, proteção e transformação; faz parte do seu relacionamento vivo com Deus por meio do Filho Jesus e do Espírito Santo, que habita em você e lhe dá direção a cada momento. Transforme isso em algo tão natural em sua vida quanto beber água ou escovar os dentes. Quando você lê a Palavra de Deus e a expressa com frequência, ela se torna como a arma de um soldado. Se você memorizar um versículo por semana, ou mesmo um versículo por mês, terá muito mais da Palavra gravada em seu coração do que a maioria das pessoas tem numa vida inteira. Você se surpreenderá com a força e a segurança que irá sentir quando estiver armada adequadamente.

Cada vez que você lê a Palavra de Deus, ela firma raízes mais profundas em seu coração, não importa quantas vezes a tenha lido. Quando você proclama a Palavra de Deus ao enfrentar o ataque do inimigo, é como se estivesse usando uma espada para destruir os planos malignos dele. Embora a Bíblia chame a Palavra de Deus de espada do Espírito, não devemos empunhá-la contra as pessoas. Devemos sempre nos lembrar de quem é nosso verdadeiro inimigo. A Palavra de Deus é sempre utilizada com mais eficácia contra o inimigo. No que se refere às pessoas, dizemos a Palavra de Deus para encorajá-las, orientá-las, libertá-las, aconselhá-las, informá-las, fortalecê-las e apoiá-las.

A Palavra nos transforma todas as vezes. Se ela não tiver efeito algum em nós e não a *vivermos* de verdade, nossas orações não terão poder. Quando falamos a Palavra sem crer nela, ou lemos a Palavra mas não a colocamos em prática, ela não tem o efeito transformador em nosso coração que poderia ter. Mas, se buscarmos *ouvir* Deus em suas páginas, não tem como ela não nos influenciar.

Não me entenda mal. A Palavra de Deus é poderosa em si mesma para transformar vidas e situações, mas as pessoas que não têm fé em Deus ou na Palavra não podem direcioná-la em oração e vê-la operar com impacto. Você não pode simplesmente dizer: "Vou dizer um versículo. Não sei o que significa nem acredito que seja verdade, mas não custa nada tentar". Não há poder nesse caso. Se o próprio Jesus, o Filho de Deus, não fazia milagres na presença da descrença, quanto menos nós na presença de nossa *própria* descrença!

Todas as vezes que você ler a Palavra de Deus, ela deverá inspirar oração por si mesma, por outra pessoa ou por alguma situação de que você esteja ciente. Ao orar, inclua a Palavra em sua oração. A Palavra de Deus nunca é ineficaz. Ele próprio diz sobre sua Palavra:

> Assim como a chuva e a neve descem dos céus e não voltam para eles sem regarem a terra e fazerem-na brotar e florescer, para ela produzir semente para o semeador e pão para o que come, assim também ocorre com a palavra que sai da minha boca: ela não voltará para mim vazia, mas fará o que desejo e atingirá o propósito para o qual a enviei.
>
> Isaías 55.10-11

Precisamos que a Palavra regue e alimente nossa alma, e Deus promete que ela produzirá muito mais do que podemos sonhar.

A adoração é uma arma poderosa contra o inimigo

Depois de vestirmos nossa armadura protetora — a verdade, a justiça, o evangelho da paz, a fé, a salvação e a espada do Espírito —, há outras armas poderosas que Deus nos deu contra o inimigo nas quais também devemos nos tornar hábeis. Uma arma extremamente poderosa é a adoração.

O inimigo despreza tanto nosso louvor e adoração a Deus que nem mesmo consegue estar na presença de alguém que o esteja fazendo. Portanto, quando quiser que o inimigo fuja, adore ao Senhor. Essa é uma de nossas principais armas contra ele, e é nossa resposta correta a tudo o que Deus vem fazendo em nossa vida.

O louvor é chamado de sacrifício porque sacrificamos nosso tempo e nosso ego para direcionar nossa atenção ao Senhor. Quando adoramos a Deus, deixamos de lado tudo o que nos absorve a fim de sermos absorvidos por *ele*. O louvor e a adoração tiram o enfoque de nosso ego e nos direciona integralmente a Deus. Reconhecemos Jesus como Senhor de todas as coisas e o louvamos por tudo o que ele é e *fez* por nós. Louvamos Jesus por seu sangue derramado na cruz e por seu amor por nós ao entregar sua vida para que pudéssemos viver com ele para sempre. Louvamos Jesus pelo perdão de nossos pecados e porque jamais seremos separados de Deus novamente.

Louvamos Jesus pelo dom da vida que ele nos assegurou e por tantas outras coisas maravilhosas que ele nos tem dado. Louvamos Jesus por tudo que ele é — Deus, Senhor, Salvador, Libertador, Médico, Provedor e Protetor, e muito mais. Sempre teremos razões para louvar e adorar a Deus.

Se a oração em sua forma mais simples é comunicar-se com Deus, então o louvor e a adoração são as formas mais puras da oração.

Paulo disse aos efésios que vivessem como sábios, pois os dias eram maus, e procurassem compreender qual era a vontade do Senhor (Ef 5.15-16). Não nos faz lembrar dos dias de hoje? Nossos dias não são maus? Não precisamos desesperadamente conhecer a vontade de Deus em tudo o que fazemos? Paulo lhes disse: "Não se embriaguem com vinho, que leva à libertinagem, *mas deixem-se encher pelo Espírito*, falando entre si com salmos, hinos e cânticos espirituais, *cantando e louvando de coração ao Senhor*" (Ef 5.18-19).

Deixar-se encher pelo Espírito não é algo ocasional. O sentido implícito é que devemos estar *constantemente cheias.* Isso não significa que o Espírito Santo se esgota ou se dissipa em você, mas, sim, que precisamos ser sempre *reabastecidas* daquilo que Deus tem para nós. Significa que temos uma escolha. Estamos abertas para que tipos de coisas? Em vez de nos deixar encher de coisas temporárias, devemos nos encher daquilo que é eterno — o poço que nunca seca. Quando nos reabastecemos do Espírito Santo todos os dias, nossa adoração nunca se esgota. É impossível.

Uma das coisas mais maravilhosas a respeito do louvor e da adoração — e exatamente a razão de seu poder — é que, ao adorarmos a Deus, ele habita em nosso louvor.

Quando você louva a Deus, a presença dele vem estar com você com grande poder. Não é de admirar que o inimigo se afaste. A Bíblia diz: "O Senhor é o Espírito e, *onde está o Espírito do Senhor, ali há liberdade*" (2Co 3.17). Não é uma ótima notícia? Significa que, na presença do Espírito Santo, somos livres. Jesus lhe dá o Espírito Santo quando você o aceita em seu coração, mas o Espírito espera seu convite para se *manifestar* de maneira mais grandiosa em sua vida. Sua adoração é o convite, e, em resposta, o Espírito vem habitar em você com mais presença e poder.

Paulo prossegue, dizendo: "Todos nós, que com a face descoberta contemplamos a glória do Senhor, segundo a sua imagem estamos *sendo transformados com glória cada vez maior*, a qual vem do Senhor, que é o Espírito" (2Co 3.18). Ao adorar a Deus, somos transformadas com glória cada vez maior. Quanto mais o louvamos, mais o veremos refletido em nós. A verdade é que nós refletimos aquilo que contemplamos. Quanto mais olharmos para Jesus em adoração, mais seremos transformadas em sua imagem pelo poder do Espírito Santo.

Ao treinar com diligência o manuseio de suas armas espirituais, você passa a usá-las com tanta frequência que, quando o inimigo atacá-la, você automaticamente recorre àquilo que conhece. É por isso que, *quando sentirmos o ataque do inimigo, devemos nos lembrar de adorar a Deus imediatamente.*

O inimigo odeia sua adoração a Deus porque o maior objetivo dele é fazer que *você o adore.*

Não reaja a um ataque do inimigo com dúvida, medo ou falta de entendimento sobre as coisas espirituais. Faça aquilo que você foi treinada a fazer, pois é algo natural em sua vida. Em outras palavras, louve imediatamente a Deus, proclamando o poder dele sobre o mal. Adore-o como Senhor de sua vida e de suas circunstâncias.

Deus quer que ofereçamos *todo o nosso ser* a ele em adoração. "Rogo-lhes pelas misericórdias de Deus que *se ofereçam em sacrifício vivo, santo e agradável a Deus; este é o culto racional de vocês*" (Rm 12.1). Quando acordar a cada manhã, entregue a si mesma e o seu dia ao Senhor. Escolha ter um coração de gratidão, louvor e oração. Agradeça a Deus pelo dia. Louve a Deus por todas as coisas pelas quais você é grata. Adore ao Senhor por quem ele é. Se você não adora e louva a Deus todos os dias, não está preparada para *nada*. Quando a adoração e o louvor ocorrem automaticamente, você está preparada para *toda* investida do inimigo.

Paulo disse: "*Alegrem-se sempre no Senhor*. Novamente direi: Alegrem-se!" (Fp 4.4). "Ofereçamos *continuamente a Deus um sacrifício de louvor*, que é fruto de lábios que confessam o seu nome" (Hb 13.15). Isso significa que o louvor deve ser contínuo.

Nada é mais poderoso que a adoração a Deus. Ela pode sacudir as coisas no reino espiritual e em nossa vida como nada mais. Pode libertar as pessoas. Paulo e Silas estavam na prisão por causa de sua fé em Jesus, mas, em vez de reclamar e questionar Deus por que estavam ali, fizeram o oposto.

> Paulo e Silas estavam orando e cantando hinos a Deus; os outros presos os ouviam. *De repente, houve um terremoto tão violento que os alicerces da prisão foram abalados. Imediatamente todas as portas se abriram, e as correntes de todos se soltaram.*
>
> Atos 16.25-26

Esse, sim, é o tipo de terremoto que queremos — o tipo que quebra correntes e liberta cativos.

A graça de Deus é uma arma contra o inimigo

A graça é o favor imerecido de Deus. Quando os apóstolos testemunharam a ressurreição de Jesus, experimentaram o poder de Deus e "graça estava sobre todos eles" (At 4.33). *A graça também se refere à operação do poder de Deus.* Ele não apenas nos salva pela graça, mas também nos dá seu Espírito Santo, cujo poder opera em nós mediante a graça divina. Não somos merecedoras da graça e do poder de Deus, mas recebemos esses dons por causa da obra de Jesus na cruz.

O profeta Zacarias levou uma palavra de Deus a Zorobabel, governador de Judá e responsável pela reconstrução do templo. Zacarias disse que a reconstrução não se daria por poder humano nem pela força de um exército, mas pelo Espírito Santo de Deus operando por meio deles. Deus disse que a reconstrução aconteceria "*não por força nem por violência, mas pelo meu Espírito*" (Zc 4.6).

Em seguida, Deus instruiu Zorobabel a aclamar graça para a montanha — símbolo da oposição de Satanás contra qualquer pessoa que tentasse reconstruir o templo. O Senhor disse: "Quem és tu, ó grande monte? Diante de Zorobabel serás uma campina; porque ele colocará a pedra de remate, em meio a *aclamações: Haja graça e graça para ela*" (Zc 4.7, RA). Em outras palavras, a reconstrução do templo aconteceria não por causa da força ou capacidade humana, mas pela graça de Deus. Zorobabel deveria *aclamar a graça de Deus para a situação.*

Essa é uma lição poderosa para todas nós, e jamais devemos esquecê-la.

Nós também podemos aclamar "graça" para nossa montanha de obstáculos. Podemos proclamar a Palavra de Deus em fé e convidar o Espírito Santo a operar em poder por nosso intermédio enquanto oramos. Então, quando estivemos certas da vontade de Deus, podemos aclamar "graça" para a aparentemente intransponível oposição do inimigo. E ele não terá poder algum contra nós, pois não pode nos dizer que não merecemos a graça de Deus — já sabemos disso. Não pode nos dizer que não somos poderosas o suficiente para fazer acontecer por nossa própria conta — já sabemos disso também.

Tudo o que precisamos saber é que *Deus* é poderoso e cheio de graça e *ele* fará acontecer.

Muitas vezes a oposição do inimigo parecerá enorme e inabalável como uma montanha. Quando isso acontecer, aclame graça para essa montanha espiritual. Se você estiver num lugar onde pode fazê-lo em voz alta, diga: "Senhor, aclamo *graça* para esta montanha. Faze dela uma campina, de modo que ela não tenha poder algum". Lembre-se de que Deus disse a Zorobabel que a reconstrução do templo não seria realizada por força humana, mas pelo Espírito. O mesmo vale para a montanha que *você* está enfrentando. Convide o Espírito Santo a operar um milagre em sua situação. Aclame a graça de Deus para qualquer montanha inabalável que o inimigo colocar diante de você. *O inimigo jamais poderá resistir àquilo que Deus deseja fazer mediante a graça.*

JEJUM COM ORAÇÃO É UMA ARMA PODEROSA CONTRA O INIMIGO

Na Bíblia, as pessoas jejuavam e oravam antes de tomar decisões importantes. Paulo operou sinais e maravilhas impressionantes enquanto a igreja jejuava e orava. Ester chamou os judeus a jejuar e orar para salvar o povo da destruição. O jejum frustra os planos do inimigo e realiza a vontade de Deus.

Visto que a guerra espiritual é contínua, devemos orar sem cessar. Os discípulos de Jesus estavam determinados a fazer da oração e do ensinamento da Palavra uma prioridade. Eles disseram: "*[Nós] nos dedicaremos à oração* e ao ministério da palavra" (At 6.4). Essa também deve ser a *nossa prioridade*. Mas nossa oração pode aumentar em poder quando também *jejuamos*. O jejum é uma arma formidável para derrubar fortalezas e promover avanços contra o inimigo.

O jejum pode "soltar as correntes da injustiça", "desatar as cordas do jugo", "pôr em liberdade os oprimidos", "romper todo jugo" e muitas outras coisas. Leia Isaías 58.6-14 e veja o que o Senhor pode fazer quando você jejuar. Essa passagem a inspirará e a encorajará. Não é preciso jejuar além de seus limites. Um jejum de 24 horas é poderoso e eficaz. Até mesmo abster-se de uma ou duas refeições e orar em vez de comer pode realizar grandes avanços. Sei que pode não lhe parecer importante, e talvez você pense: "Como isso pode ser suficiente para realizar alguma coisa?". Mas pode. Tenho visto isso inúmeras vezes em minha vida e na vida de outras pessoas.

O jejum e a oração são uma ferramenta poderosa contra o inimigo. Então, quando precisar de algo em qualquer área de sua vida, jejue e ore e veja o que Deus fará em resposta. Algumas coisas não acontecerão sem isso.

A FÉ NÃO É APENAS UM ESCUDO; É UMA ARMA

Não podemos fazer nada sem fé, principalmente agradar a Deus. "*Sem fé é impossível agradar a Deus*, pois quem dele se aproxima precisa crer que ele existe e que recompensa aqueles que o buscam" (Hb 11.6). Ter fé em Deus é o oposto de confiar em nós mesmas. Ter fé é estar convencida de que Deus fará o que prometeu, de modo que deixamos de tentar fazer algo por nosso próprio esforço.

A Bíblia conta sobre a fé que tinha Abraão, dizendo que ele estava convicto de que Deus faria o que havia prometido. "Estando plenamente convencido de que ele era poderoso para cumprir o que havia prometido. Em consequência, 'isso lhe foi creditado como justiça'" (Rm 4.21-22). Ter essa mesma confiança em Deus não apenas nos *protege* do inimigo, mas também o *derrota*.

Nossa fé não apenas serve como escudo protetor, mas também é *uma de nossas armas poderosas contra o inimigo.*

Devemos ter fé em que Deus ouve nossas orações e responde a elas. Jesus disse em Marcos 11.22-24:

> Tenham fé em Deus. Eu lhes asseguro que *se alguém disser a este monte: "Levante-se* e atire-se no mar", e não duvidar em seu coração, mas crer que acontecerá o que diz, *assim lhe será feito*. Portanto, eu lhes digo: *Tudo o que vocês pedirem em oração, creiam que já o receberam, e assim lhes sucederá.*

Isso não significa que ordenamos a Deus o que fazer. Não ditamos o modo como Deus responde às nossas orações nem o momento em que ele o faz. *Não temos fé em nossa fé, imaginando que controlamos as coisas com ela.* Não obrigaremos Deus a fazer nada que não seja da vontade dele.

Algo acontece sempre que oramos, mas não podemos impor limites ao que pensamos que Deus pode ou irá fazer, pois a resposta depende dele.

Peça a Deus força para suportar situações difíceis com esperança no coração e fé inabalável, mesmo durante a tempestade. A Bíblia diz: "*Peça-a, porém, com fé, sem duvidar*, pois aquele que duvida é semelhante à onda do mar, levada e agitada pelo vento. Não pense tal pessoa que receberá coisa alguma do Senhor" (Tg 1.6-7). Quando vivemos pela fé, perseveramos, apesar de toda oposição.

A Bíblia diz: "*O meu justo viverá pela fé.* E, se retroceder, não me agradarei dele" (Hb 10.38). Diz que devemos permanecer firmes na fé, pois "*a fé é a certeza daquilo que esperamos e a prova das coisas que não vemos*" (Hb 11.1).

Sara fez o impossível ao conceber e dar à luz aos noventa anos, muito depois do tempo que uma mulher pode fazê-lo, pois acreditou em Deus e sabia que ele era fiel para fazer o que havia prometido (Hb 11.11). Ela não olhou para suas incapacidades; antes, concentrou-se na capacidade do Senhor para fazer o impossível. Nós também precisamos ter esse tipo de fé confiante de que Deus pode fazer o impossível quando oramos.

Precisamos parar de olhar para nossas incapacidades e olhar com fé para o Deus do impossível.

Fé inabalável significa que acreditamos inteiramente em Deus e em sua Palavra, quer obtenhamos as respostas desejadas às nossas orações, quer não. O fato de ter ou não todos os seus pedidos atendidos por Deus não deve ser o fator determinante da força de sua fé ou de sua atitude em relação a Deus. Em seu coração proclame diariamente que Jesus é o Senhor de sua vida e que você tem fé total nele. Assim, não importa o que esteja acontecendo em sua vida ou ao seu redor, sua fé se tornará uma arma contra o inimigo.

Um soldado não questiona seu capitão nem decide não seguir suas ordens. Ele não tem o privilégio de julgar seu capitão nem o que deve fazer. O mesmo vale para nós. A Bíblia diz que "nenhum soldado se deixa envolver pelos negócios da vida civil, já que deseja agradar aquele que o alistou" (2Tm 2.4). Isso quer dizer que todo bom soldado obedece rigorosamente a seu capitão, sem nenhum questionamento carnal. Como guerreiras de oração, cabe a nós ouvir nosso Capitão e obedecer, e não julgar suas decisões — suas respostas às nossas orações. Confiar em Deus significa obedecer sem questionar. *Isso* é uma fé sólida. E não se trata apenas de um escudo, mas também de uma arma que destrói as obras do inimigo.

A oração é sempre uma arma poderosa contra o inimigo

Embora a oração seja a própria batalha, ela é também uma arma. Na oração, dizemos a Deus o que queremos que ele faça. Não é que ele não esteja ciente do problema ou não sabe o que está acontecendo. Deus sabe com antecedência tudo o que acontecerá. Antes de visualizarmos a necessidade, ele já sabe a resposta. "*Antes de clamarem, eu responderei; ainda não estarão falando, e eu os ouvirei*" (Is 65.24).

Deus definiu que *nós oramos* e *ele responde*. Ele não nos torna robôs nem impõe sua vontade sobre nós. Ele espera que optemos pela vontade *dele* em vez da nossa. Age assim porque deseja que caminhemos com ele num relacionamento cada vez mais profundo.

Neste exato momento, Deus está usando quaisquer situações difíceis que você enfrenta em sua vida para aproximá-la dele por meio da oração, da Palavra e da adoração. Ele quer que você dependa dele, pois deseja levá-la a lugares inalcançáveis sem a ajuda dele. Ele quer torná-la completa e forte de um jeito que seria impossível sem ele. Ele quer lhe ensinar coisas que você não entenderia sem o Espírito em sua vida.

O que Deus quer fazer *em* você, *por meio de* você e *para* você vai além do que podemos imaginar.

> "Olho nenhum viu, ouvido nenhum ouviu, mente nenhuma imaginou o que Deus preparou para aqueles que o amam"; mas Deus o revelou a

nós por meio do Espírito. O Espírito sonda todas as coisas, até mesmo as coisas mais profundas de Deus.

1Coríntios 2.9-10

Imite Jesus quando orar. Ele entendia a oração como forma de comunhão com seu Pai celestial. Não era um dever. Era uma necessidade.

- *Jesus orava pela manhã*. "De madrugada, quando ainda estava escuro, Jesus levantou-se, saiu de casa e foi para um lugar deserto, onde ficou orando" (Mc 1.35).
- *Jesus orava à noite*. "Jesus saiu para o monte a fim de orar, e passou a noite orando a Deus" (Lc 6.12).
- *Jesus orava sozinho*. "Tendo despedido a multidão, subiu sozinho a um monte para orar. Ao anoitecer, ele estava ali sozinho" (Mt 14.23).
- *Jesus orava sem cessar*. "*Estejam sempre atentos e orem* para que vocês possam escapar de tudo o que está para acontecer, e estar em pé diante do Filho do homem" (Lc 21.36).
- *Jesus não podia fazer nada sem orar*. "O Filho não pode fazer nada de si mesmo; só pode fazer o que vê o Pai fazer, porque o que o Pai faz o Filho também faz" (Jo 5.19).

Devemos orar como Jesus orava: dia e noite, sem cessar, em comunhão com Deus.

Quando você leva suas preocupações e necessidades diante do Senhor e lhe pede que atenda a suas necessidades, está fazendo uma oração de súplica. Leve-as novamente diante dele quantas vezes forem necessárias para você sentir paz em seu coração, para sentir que realmente entregou tudo nas mãos de Deus. Após cada oração, agradeça ao Senhor por ouvir suas orações e por responder a elas conforme a vontade e o tempo dele.

Deus é bastante específico sobre o que ele deseja de nós. E você também deve ser. Ao orar, diga a Deus que, acima de tudo, você quer que a vontade dele seja feita. Porque, se estiver orando por algo não alinhado à vontade dele, é importante que saiba disso e seja conduzida pelo Espírito a orar pela coisa certa. Não fique julgando a qualidade de sua oração. Esse não é seu trabalho. Seu trabalho é orar. E o trabalho de Deus é responder segundo a vontade dele. E, definitivamente, não faça julgamentos sobre como ele responde. Devemos simplesmente orar, deixando o resultado a cargo de Deus, e ele responderá da maneira e no momento que desejar. Assim, cada vez que orar, suas orações se tornarão uma arma contra o inimigo e os planos malignos dele para sua vida.

* * *

Oração para a guerreira de oração

Senhor, ajuda-me a entender o que são minhas armas espirituais e a me tornar mestre no manuseio delas. Ensina-me a não esquecer nem mesmo por um momento quão poderosas elas são. Faze minha fé crescer para que eu creia em ti e em tua Palavra sem duvidar. Sei que assim como os céus são mais altos que a terra, também os teus caminhos são mais altos que os meus caminhos e os teus pensamentos mais altos que os meus pensamentos (Is 55.9). Ajuda-me a pensar e agir de forma mais parecida com a tua sempre que eu ler tua Palavra e passar tempo em tua presença. Capacita-me a conhecer tua Palavra tão bem que eu tenha as Escrituras gravadas na mente e no coração, a ponto de elas se tornarem armas automáticas contra o inimigo de minha alma.

Obrigada por tua graça por mim, que me recompensa e me ajuda muito além do que eu mereço. Quando eu enfrentar uma montanha de oposição do inimigo, lembra-me de aclamar graça para aquela situação. Sei que tua graça está acima de quaisquer planos do inimigo, não importa quanto ele aparente estar tendo sucesso. Ajuda-me a não ser intimidada pela força do inimigo, uma vez que a força de tua graça excede imensamente quaisquer esforços da parte dele.

Mostra-me quando preciso jejuar e orar para realizar tudo o que queres ver realizado. Capacita-me a executar tua vontade. Ajuda-me a entender todas as coisas ditas em tua Palavra sobre o que será realizado durante o jejum. Sei que em obediência a ti o jejum desatará as cordas do jugo, porá em liberdade os oprimidos e romperá todo jugo (Is 58.6).

Louvo a ti, Pai, acima de todas as coisas. Ajuda-me a adorar ao Senhor "em espírito e em verdade", conforme ordena tua Palavra (Jo 4.24). Busco a ti e te desejo como "a corça anseia por águas correntes" (Sl 42.1). Ajuda-me a fazer do louvor e da adoração a minha primeira reação às coisas que acontecem e às diferentes situações que se apresentam a mim.

Senhor, tu disseste: "Peçam, e lhes será dado; busquem, e encontrarão; batam, e a porta lhes será aberta. Pois todo o que pede, recebe; o que busca, encontra; e àquele que bate, a porta será aberta" (Lc 11.9-10). Ajuda-me a pedir conforme a tua direção, buscando compreender tua vontade e bater à porta que tu queres abrir. Capacita-me a continuar pedindo, continuar buscando e continuar batendo sem desistir. Faze-me lembrar de como essas ações são armas contra os planos malignos do inimigo, de modo que somente *teus* planos para minha vida e para a vida das pessoas por quem oro se tornem realidade. Agradeço a ti de antemão por tuas respostas às minhas orações.

Obrigada porque tu és "capaz de fazer infinitamente mais do que tudo o que pedimos ou pensamos, de acordo com o [teu] poder que atua em nós" (Ef 3.20). Obrigada porque nenhuma arma forjada contra mim ou contra as pessoas por quem oro prevalecerá.

Oro em nome de Jesus.

"Nenhuma arma forjada contra você prevalecerá, e você refutará toda língua que a acusar. Esta é a herança dos servos do Senhor, e esta é a defesa que faço do nome deles", declara o Senhor.

Isaías 54.17

8
Engaje-se na guerra sabendo que o tempo é curto

Uma coisa é vestir nossa *armadura espiritual* e pegar nossas *armas espirituais*, mas decidir *engajar-se na guerra* e *ir à batalha em oração* é outra história. Não basta *pensar* sobre a oração, *falar* sobre a oração ou *ler* sobre a oração. Temos de *orar*. Soldados podem se *preparar* para a batalha, *aprender* sobre a batalha, *treinar* para a batalha e ter o melhor equipamento do mundo, mas, se nunca forem à batalha, o inimigo vencerá.

Todas nós precisamos entender a importância de ser guerreira de oração. Somos um grupo grande e poderoso, mas Deus quer que sejamos um grupo ainda maior e mais poderoso. Deus chama *todas* a orar. Jesus nos ensinou sobre a *oração*. Ele nos disse *o que* fazer quando orarmos e *como* orar. Podemos memorizar tudo o que a Bíblia diz sobre a oração, mas, se não estivermos orando, a vontade de Deus não estará sendo feita e o inimigo, e não o reino de Deus, avançará.

Não temos de nos *alistar* no exército, pois já nos alistamos ao entregar a vida a Jesus; porém, precisamos *nos engajar* na guerra. As batalhas não estão se tornando menos frequentes nem menos intensas com o tempo; ao contrário, vêm aumentando em todos os aspectos. Não podemos simplesmente ignorar esse fato e ainda esperar que permaneceremos firmes.

Devemos tomar parte na guerra *agora*, pois o inimigo sabe que resta pouco tempo antes do retorno do Senhor e está se esforçando ao máximo para realizar seus planos. A guerra está mais difícil que nunca. Podemos ver ataques incessantes contra a saúde, os sentimentos, os relacionamentos, o trabalho, as reputações, as finanças e a segurança de cada cristão. Eles são epidêmicos e não podemos ignorá-los.

"Engajar-se" significa *dedicar-se com afinco* ou *tomar parte em* algo. Também significa comprometer-se voluntariamente ao serviço militar. É assumir uma obrigação. É optar por se envolver em algo. Você se comprometeu a tomar parte na batalha; reconheceu que uma guerra está sendo travada e compreendeu o chamado de Deus para orar.

No contexto da batalha espiritual, "engajar-se" significa comprometer-se com Deus a enfrentar os planos do inimigo, orando para que a vontade de Deus seja feita aqui na terra.

Não falei em meus livros anteriores sobre ser guerreira de oração porque notava quantas pessoas lutavam com simples orações por si mesmas e por seus entes queridos. Elas precisavam de uma forma confiável e consistente de levar suas necessidades a Deus antes que se tornassem orações de desespero. À medida que mais e mais pessoas vêm a mim, onde quer que eu esteja, dizendo-me que também são guerreiras de oração, sei de antemão que há um exército de guerreiros e guerreiras bem maior do que a maioria pode imaginar.

O mundo se torna cada vez mais sombrio, com o mal sendo exaltado e se espalhando como fogo na mata. É por isso que nosso exército de guerreiros e guerreiras de oração precisa aumentar em número e força. Peço-lhe que se junte a nós, caso ainda não o tenha feito. Se você colocou sua fé em Jesus, tem o coração voltado para Deus e seus caminhos e é grata pela direção do Espírito Santo em sua vida, pode se tornar uma guerreira de oração. Espero que já esteja convencida, mas, se não estiver, o restante deste livro com certeza se encarregará disso.

É preciso reconhecer quem você é no Senhor, o que ele fez por você e o que ele a chamou para fazer. Você não é fraca; é filha do Rei. E ele é forte em você mediante o poder do Espírito. Há uma vocação em sua vida que não tem nada a ver com sexo, idade, sucesso, nível educacional, raça, cor, cultura, partido político ou tipo sanguíneo. Somos todas filhas de Deus sob um único sangue — o sangue de Cristo. Ele a chamou para vestir a armadura de Deus e engajar-se na guerra. Você nunca está sozinha na batalha, e isso deve servir de grande conforto. Há "espíritos ministradores enviados para servir àqueles que hão de herdar a salvação" (Hb 1.14). Trata-se de você e eu. Temos uma herança no Senhor. Há anjos que nos ajudam. Há o Espírito Santo, que está *em* nós e nos *capacita*.

Muitas pessoas já se sentiram como nós diante da oposição do inimigo; elas, porém, lutaram com coragem, pois sabiam que ele também é o inimigo *de Deus* e que a vitória pertence ao Senhor. Talvez não sejamos reconhecidas como grandes guerreiras de oração na terra, mas Deus reconhece nossos esforços. Ele diz que *no céu há "taças de ouro cheias de incenso, que são as orações dos santos"* (Ap 5.8). Então quando oramos nossas orações não evaporam no ar? Elas perduram? Isso significa que nossas orações não duram apenas alguns segundos. Elas seguem existindo. Elas existem diante de Deus e seguem adiante realizando a vontade dele. Não é maravilhoso? O que fazemos como guerreiras de oração persiste além de nossa vida na terra.

Acredito que a oração que você faz hoje não se evapora sem nem mesmo ultrapassar o teto. Acredito que sua oração pela salvação por alguém hoje pode ter efeito, mesmo depois de sua partida para estar com o Senhor. Você nunca sabe como sua oração por alguém no leito de morte será respondida. Não temos como saber. Somente Deus sabe.

Contudo, não podemos viver apagando incêndios; precisamos também preveni-los. Devemos ter uma atitude proativa e orar em antecipação às táticas do inimigo. Devemos orar por proteção do inimigo para nós mesmas, para nossa família e para todas as pessoas que Deus põe em nosso coração. Antes de tudo, porém, temos de nos engajar na guerra.

Engaje-se porque você não sabe tudo o que suas orações podem realizar

Nós, guerreiras de oração, não recebemos muito crédito por parte de pessoas que não são guerreiras de oração, mas temos a grande recompensa de ver Deus operar em resposta às nossas orações.

Na igreja que eu frequentava em Los Angeles, participava de um grupo de oração às quartas-feiras à noite. Naquela época, sentíamos grande compaixão por pessoas que viviam em Berlim Oriental em condições miseráveis de corpo, alma e espírito, atrás do Muro de Berlim, erguido pelos russos para impedir as pessoas de cruzar a fronteira rumo à liberdade. Acreditávamos que éramos dirigidos pelo Espírito Santo a orar pela queda do muro. Sabíamos que provavelmente não éramos os únicos orando com esse objetivo, mas orávamos como se fôssemos. Para nós, tratava-se de uma missão, pois sabíamos que estávamos cumprindo o chamado de Deus. Nenhum de nós poderia imaginar como o muro seria derrubado, mas ainda assim orávamos. Anos mais tarde, o muro veio abaixo. Não creio que o Muro de Berlim tenha sido derrubado repentinamente. Acredito de todo o coração que ele foi derrubado primeiro no reino espiritual, nos anos que precederam sua queda. A batalha foi vencida em oração. As forças do mal que ergueram o muro, obrigando as pessoas a viver em isolamento, pobreza, crueldade e separação de seus entes queridos, privando-as de liberdade, alimentos, trabalho e do necessário para uma vida decente, foram derrotadas primeiramente em oração.

Anos depois, uma pessoa que tinha participado daquele grupo estivera em Berlim na queda do muro e me trouxe um pedaço dele. Está numa prateleira e é para mim uma lembrança constante de que não sabemos o poder de nossas orações. Mesmo quando não temos fé suficiente para crer de coração no cumprimento daquilo por que oramos, Deus é fiel para manter sua promessa e responder a nossas orações. Eu não tinha fé suficiente para crer que o muro seria derrubado, mas tinha fé de que o Deus do impossível pode fazer qualquer coisa que desejar ao encontrar pessoas para irem por ele em oração à batalha contra o inimigo.

Talvez você pense que não receba benefícios imediatos por orar em favor de outras pessoas ou de situações em lugares distantes, mas isso não é verdade. Quando você está orando, recebe bênçãos de Deus que talvez não receberia se não o fizesse. Primeiro, você ganha mais proximidade de Deus, o que é sempre muito bom. Estar com o Senhor é uma recompensa por si só. Sei que você não ora apenas com o intuito de receber algo nem hesita em orar por pensar que não há nenhum benefício para você; algumas pessoas, no entanto, pensam assim. Achamos que nos sacrificamos ao Senhor ao orar, mas somos os maiores beneficiários. Podemos estar num grupo de oração em favor apenas de outras pessoas, mas sairemos de lá ricamente abençoados por Deus. Nossas orações não realizam grandes coisas somente para os outros, mas para nós também — mais do que nos damos conta.

Engaje-se porque você serve a Deus

Deus não quer que nosso compromisso com ele nos faça sentir intimidados ou pressionados. Ele quer que simplesmente ouçamos seu chamado e respondamos a ele. Tem a ver com servir ao Senhor. Não se trata da oração perfeita; trata-se de nosso Deus perfeito respondendo às orações que lhe fazemos. O que realizamos não muda as coisas; é o poder de Deus que atende às nossas palavras. "O Reino de Deus *não consiste em palavras, mas em poder*" (1Co 4.20). Apesar de nossa fraqueza, podemos ser instrumentos do poder de Deus. De fato, *porque* somos fracos podemos ser usados pelo Senhor como instrumentos de seu poder. "Temos esse tesouro em vasos de barro, para mostrar que *este poder que a tudo excede provém de Deus, e não de nós*" (2Co 4.7).

Servimos a Deus ao orar constantemente. Ele não quer que oremos uma vez e, se a oração não for respondida de acordo com nossa vontade, desistamos, dizendo: "Minhas orações não estão funcionando". Ele quer que permaneçamos firmes e *continuemos a orar*. Paulo nos orienta: "Mantenham-se firmes, e que nada os abale. Sejam *sempre dedicados à obra do Senhor*, pois vocês sabem que, no Senhor, o trabalho de vocês não será inútil" (1Co 15.58). É por isso que não devemos julgar a respeito de como Deus nos pede para orar, como nos sentimos dirigidas pelo Espírito a orar, como ele responde às nossas orações, se há ou não resultados imediatos ou qual deve ser nossa sensação depois de orar. Temos simplesmente de orar, sem fazer julgamentos.

Quando enfrentamos situações difíceis, Deus não quer que paremos de orar como se de repente não fôssemos mais qualificadas. Lembre-se de que tudo acontece por meio do Espírito, pela força *dele*, e não pela sua. É a armadura *dele* que nos protege, e não a nossa.

> De todos os lados somos pressionados, mas não desanimados; ficamos perplexos, mas não desesperados; somos perseguidos, mas não abandonados; abatidos, mas não destruídos. Trazemos sempre em nosso corpo o morrer de Jesus, para que a vida de Jesus também seja revelada em nosso corpo.
>
> 2Coríntios 4.8-10

Na oração, o poder de Deus pode ser visto em nós, mesmo durante os momentos mais difíceis. Deus quer que sejamos capazes de dizer como Paulo: "Se vivemos, vivemos para o Senhor; e, se morremos, morremos para o Senhor. Assim, quer vivamos, quer morramos, pertencemos ao Senhor" (Rm 14.8). Não importa o que acontecer, serviremos a Deus porque lhe pertencemos.

Ao orar como guerreira de oração, você está servindo a Deus de forma direta e íntima. Quando você ora por outras pessoas, realiza a vontade de Deus para elas, promove o avanço do reino de Deus em oração, faz as obras das trevas retroceder, correntes ser quebradas, escravos do inimigo ser libertos e traz restauração onde ela é necessária. E mais, faz a cura e a plenitude se arraigarem onde há enfermidade e sofrimento, traz consolo onde há desespero, cultiva esperança onde há desesperança, revela Jesus àqueles que estão imobilizados por armadilhas de falsos deuses e ídolos e propaga o amor de Deus a pessoas que nem sabem que ele existe.

Pense que ser uma guerreira de oração é nada menos que servir a Deus porque você o ama.

Sempre que você orar por suas necessidades e por coisas que pesam em seu coração, peça a Deus que lhe dê direção, trazendo uma pessoa, um grupo de pessoas ou uma situação à sua mente. Ele trará a seu coração o desejo de orar por determinada pessoa ou circunstância. O Espírito Santo em você a ajudará a orar, e você sentirá entusiasmo a esse respeito — talvez até emoção, a ponto de chorar, caso a situação envolva o sofrimento alheio. Você sentirá a dor do Senhor em relação à situação ou à própria dor da pessoa. Saberá quando Deus a está *chamando* para orar intensamente por alguém ou por algo devido a esse entusiasmo surgido durante a oração.

Hoje de manhã, quando ia me sentar para escrever este capítulo, a imagem de um jovem que foi ferido gravemente num acidente e a dor de sua mãe me vieram à mente, e eu sabia que Deus estava me chamando para orar. Venho orando por eles há muitos anos, assim como fazem muitas outras pessoas, e temos visto milagres acontecendo à medida que a vida desse jovem não apenas foi salva, mas é restaurada pouco a pouco. Sua recuperação até agora é resultado das orações de muitos guerreiros e guerreiras que ouviram o chamado de Deus para orar por milagre após milagre e continuam atendendo a esse chamado.

Ainda há muito a ser alcançado na recuperação desse jovem, por isso orei por necessidades específicas de que eu tinha conhecimento. Orei por força e consolo para sua mãe, que tem estado sempre ao lado dele ao longo desses anos. Orei por outros membros da família que também têm sofrido muito. Enquanto orava, Deus me mostrou coisas específicas sobre as quais não tinha pensado, e orei a esse respeito também. Ele me permitiu sentir parte da dor da mãe do rapaz, e eu chorei, suplicando a Deus que minhas orações ajudassem a aliviar a tristeza daquele coração. Orei por todos os milagres de que eles ainda precisam. E orei para que sintam a confiança de que milagres acontecerão e para que a esperança seja renovada no coração deles.

Deus a está chamando para cumprir sua vocação de orar por alguém neste momento. Pergunte-lhe quem é. E quando ele lhe trouxer alguém à mente, peça a direção do Espírito Santo sobre como orar. Depois de orar, não questione se Deus a ouviu ou como ele agirá. Lembre-se apenas de que há duas grandes verdades sobre orar como uma guerreira de oração:

1. Deus ouve suas orações.
2. Deus responde às suas orações conforme a vontade e o tempo dele.

Você nunca saberá exatamente o bem que resultou de suas orações, mas Deus sabe. Por exemplo, se você orar (como eu orei) por uma jovem vítima do tráfico sexual, não dá para saber como suas orações afetarão a situação dela. Talvez ela consiga fugir ou ser resgatada por causa de suas orações. Se você acredita que mais pessoas precisam orar com você sobre algo, peça a Deus para despertar o coração de outros guerreiros e guerreiras de oração a fim de que ouçam o chamado para orar a respeito daquela mesma situação. É da vontade de Deus fazer isso. Contudo, mesmo que ninguém mais esteja orando por aquele algo específico no momento, o Espírito Santo está com você — *em* você — ajudando-a a orar.

Deus vê em seu coração que você tem prontidão para orar. Ele não está julgando suas orações. Ele está satisfeito em ver que você tem o coração de uma guerreira de oração. A Bíblia diz sobre a doação que "se há prontidão, a contribuição é aceitável" (2Co 8.12). Você *tem* prontidão, senão não estaria lendo este livro. Você tem o desejo de dar de si para Deus ao orar por outros. A Bíblia diz em 2Coríntios 9.6-7:

> Aquele que semeia pouco, também colherá pouco, *e aquele que semeia com fartura, também colherá fartamente.* Cada um dê conforme determinou em seu coração, não com pesar ou por obrigação, pois Deus ama quem dá com alegria.

Você colherá grandes bênçãos porque ama a Deus e deseja servir-lhe com um coração alegre.

ENGAJE-SE PORQUE VOCÊ SABE QUE O TEMPO É CURTO

O mal se torna mais intenso a cada dia. Os riscos também são maiores. Não podemos simplesmente dizer: "Bom, se é para acontecer, que aconteça". As coisas podem piorar muito mais que o necessário para muitas pessoas — principalmente para aqueles que creem no Senhor. Devemos orar por proteção. Devemos orar para que as pessoas que não endureceram seu coração contra o Senhor se abram para ele como Salvador.

O tempo é curto e precisamos nos revestir da armadura da luz. "A noite está quase acabando; o dia logo vem. Portanto, deixemos de lado as obras das trevas e *revistamo-nos da armadura da luz*" (Rm 13.12). A "armadura da luz" é a armadura de Deus. É a cobertura dele sobre nós e sua luz dentro de nós. Devemos nos revestir de tudo o que Jesus é e de tudo o que ele fez para nos salvar, nos cobrir e nos proteger do mal. "Revistam-se do Senhor Jesus Cristo, e não fiquem premeditando como satisfazer os desejos da carne" (Rm 13.14).

Se não entendermos essa guerra espiritual, nossa batalha será sempre contra pessoas e grupos. Lutaremos contra seres humanos, e não contra os poderes malignos que exercem controle sobre as pessoas. Travamos a batalha da carne com pessoas em vez de lutar com nossas armas espirituais contra as obras invisíveis das trevas. Somos chamadas a orar para que a escuridão retroceda e a vontade de Deus seja feita na terra.

Nosso inimigo é espiritual, e não de carne e osso. Lutamos contra forças e poderes espirituais que dirigem a escuridão deste mundo e contra espíritos ímpios em regiões espirituais espalhadas em nossas cidades. É importante sempre lembrar quem é nosso verdadeiro inimigo. Do contrário, viveremos lutando contra pessoas de outro partido político, de outra etnia ou classe social, contra nosso chefe, nossos colegas de trabalho ou nosso vizinho chato. Se começarmos a lutar contra eles, não apenas nos desgastaremos, como também não chegaremos a lugar algum. Se lutarmos contra as pessoas, e não contra as forças das trevas, estaremos apenas derrotando a nós mesmas.

ENGAJE-SE PORQUE VOCÊ ESTÁ COMPROMETIDA

Quando uma mulher solteira é convidada a sair com um homem, mas já prometeu se casar com *outro*, ela simplesmente responde: "Sou comprometida". Isso é tudo o que ela precisa dizer, pois a mensagem é clara: ela já tem compromisso com uma pessoa e não está interessada em mais ninguém.

Quando você se compromete com o Senhor, promete amar e servir somente a ele. Se outras coisas exigirem em demasia de seu tempo e sua atenção, é preciso responder: "Já sou comprometida com meu Senhor. Quero passar tempo com *ele*".

O compromisso com o Senhor transforma nossa vida da melhor forma possível, além de facilitar o engajamento na guerra contra o inimigo. É por isso que as guerreiras de oração tomam parte na guerra espiritual e oram com determinação — porque estão comprometidas com o Senhor, amando e servindo exclusivamente a ele. A proximidade com Deus lhes dá maior sensibilidade a respeito da vontade do Senhor sobre todas as questões. São tão agradecidas por tudo o que o Senhor fez que não hesitam em ir à batalha por ele.

Saiba que não estamos correndo perigo por nos envolver na guerra; corremos perigo quando não *nos engajamos nela.*

Estar comprometida com o Senhor é encontrar-se com ele todas as manhãs e dizer que você o ama e o adora e quer servir-lhe conforme o desejo dele. Você se engaja na guerra apresentando-se diante do Senhor como uma dedicada guerreira de oração que ouve suas instruções e ora "*no Espírito em todas as ocasiões, com toda oração* e súplica", atenta e perseverante "na oração por todos os santos" (Ef 6.18).

Jesus disse que você pode orar sozinha — só você e ele, em devoção particular. Ou pode orar com outra pessoa — *um parceiro de oração*. Jesus disse: "Se dois de vocês concordarem na terra em qualquer assunto sobre o qual pedirem, isso lhes será feito por meu Pai que está nos céus" (Mt 18.19). Ou pode orar com duas ou mais pessoas — *um grupo de oração*. Jesus disse: "Onde se reunirem dois ou três em meu nome, ali eu estou no meio deles" (Mt 18.20). Não é preciso nenhuma outra justificativa para orar com outras pessoas.

A união dos cristãos em oração tem poder por causa da presença de Jesus e da garantia de resposta à oração.

Quando você ora com outra pessoa, o Espírito Santo em você está conectado com o Espírito Santo nela, e suas orações são poderosas por causa disso.

Se você orar com outras pessoas, porém, fique alerta para não negligenciar seu tempo sozinho com o Senhor. Se você for comprometida com o Senhor em primeiro lugar, terá uma conexão profunda e inigualável com ele. Se as distrações roubarem seu tempo de intimidade com ele, você sentirá a conexão enfraquecer.

Eu sou comprometida com o Senhor. E você? Vamos nos comprometer com Deus, para que nos engajemos na guerra que o inimigo trava contra todos nós. Ele sabe que tem pouco tempo, por isso está se esforçando ao máximo. Não deveríamos fazer o mesmo?

* * *

Oração para a guerreira de oração

Senhor, ajuda-me a me comprometer contigo em oração todos os dias, de modo poderoso e eficaz. Quero ver tua vontade feita na terra, por isso escolho me engajar nessa guerra contra nosso inimigo. Comprometo-me a ouvir teu chamado para orar em favor de pessoas e situações conforme tua orientação.

Obrigada porque me deste uma armadura protetora, armas poderosas e a promessa de que sempre estarás comigo. Ajuda-me a "deixar de lado as obras das trevas" e a "revestir-me da armadura da luz" (Rm 13.12). Sei que o tempo está acabando e que o inimigo sabe que tem pouco tempo para realizar seus planos malignos. Sei que com a iminência de teu retorno, o inimigo quer conquistar tantos corações e mentes quanto puder. Ajuda-me a não esquecer que, independentemente do que aconteça em minha vida, na vida das pessoas ao meu redor ou no mundo, devo orar sempre para que tua vontade seja feita.

Sou grata por fazer parte de teu grande exército de guerreiros e guerreiras de oração, que ouviram seu chamado e seguem tuas orientações todos os dias. Estou empolgada em ver tudo o que farás por meio de nossas orações. Ajuda-me a não julgar minhas orações nem tuas respostas. Comprometo-me a simplesmente orar e deixar a resposta por tua conta, a fim de que tua vontade seja realizada, em teu tempo. Quero servir a ti e a *teus* planos porque te amo, Pai, e sou grata por tudo que fizeste por mim e por tudo que ainda farás.

Ajuda-me a permanecer firme na simplicidade que há em Cristo. Ensina-me a identificar o verdadeiro poder espiritual e não me deixar ser guiada por uma falsa espiritualidade. Ajuda-me a não sucumbir a discussões espirituais ou teológicas com outros cristãos, pois tua Palavra diz que isso não é produtivo. Capacita-me a sempre ouvir teu chamado para orar. Dá-me teu coração pelas pessoas e pelas lutas que elas enfrentam. Ajuda-me a sempre orar visando o alvo correto. Engajo-me nessa guerra espiritual, pois estou comprometida contigo e quero servir somente a ti.

Oro em nome de Jesus.

Celebrem, ó céus, e os que neles habitam! Mas, ai da terra e do mar, pois o Diabo desceu até vocês! Ele está cheio de fúria, pois sabe que lhe resta pouco tempo.

Apocalipse 12.12

9
Identifique o campo de batalha

Deus nos deu o reino dele aqui na terra, mas, se não entrarmos nele da maneira que ele nos pede, podemos chegar perto demais da fronteira e cair em território inimigo. Deus não quer isso para nós, nem nós queremos. Jesus disse: "Não tenham medo, pequeno rebanho, pois foi do agrado do Pai dar-lhes o Reino" (Lc 12.32). Deus quer que desfrutemos dos benefícios de seu reino não apenas na eternidade, mas também na terra. A parte da eternidade já está garantida. Aqui na terra, porém, devemos fazer *nossa* parte para que o reino de Deus avance — tanto *em nós* como *no mundo ao redor*. Como guerreiras de oração, fazemos isso orando.

O lugar mais perigoso dessa guerra é a fronteira entre o reino de Deus e o reino das trevas. Estar *na fronteira* é estar perto demais do território inimigo. Isso não significa, porém, que sua salvação esteja em perigo. Se você recebeu Jesus em sua vida, está salvo. Mas, se nunca avançar na Palavra e na obediência em direção aos caminhos do Senhor, não desfrutará dos benefícios do reino. Deus reserva muito mais para você. O lugar onde você será mais atingida é a fronteira externa do reino de Deus. Talvez sofra um ataque após outro e culpe Deus por isso em vez de identificar o inimigo e o campo de batalha.

Deus nos encarregou de promover o avanço de seu reino na terra — nós, seus filhos. Somos parceiros nos negócios da família. Jesus disse: "Desde os dias de João Batista até agora, o Reino dos céus é tomado à força, e os que usam de força se apoderam dele" (Mt 11.12). Deus nos *dá* o reino, mas ainda precisamos *tomá-lo à força*. Temos de trazê-lo para dentro de nossa vida e para os lugares onde ele não está. Isso significa que precisamos ser perigosos na oração — isto é, perigosos para o inimigo. Precisamos derrubar cada barreira que o inimigo ergueu a fim de nos impedir de nos tornar tudo o que Deus nos criou para ser e de cumprir o chamado de Deus para fazer o reino avançar na terra.

Para isso, é importante não apenas identificar nosso verdadeiro inimigo, mas também o campo em que ele opera — ou seja, onde a batalha está sendo travada no momento. É claro que o campo de batalha é sempre o seu lugar de oração, pois a oração é a batalha, e *você* escolhe o local e a hora. Mas há campos de batalha específicos além dos locais de ataque do inimigo. Trata-se de qualquer lugar onde ele considere possível entrar em sua vida ou na vida dos outros.

Um bom soldado busca conhecer o máximo possível o ambiente do campo de batalha, e nós devemos fazer o mesmo. O campo de batalha é o lugar onde o inimigo traz a batalha até você. Alguns dos campos de batalha em que o inimigo gosta de atacar são: relacionamentos, trabalho, finanças, família e saúde. Para ilustrar o poder de Deus operando em resposta às orações de uma guerreira de oração, darei três exemplos de campos de batalha do inimigo. Temos o campo de batalha para sua mente, o campo de batalha para a vida de seus filhos e o campo de batalha para seu casamento. Essas são as áreas prediletas do inimigo para atacar nossa vida e promover o caos. Não é preciso ser atacada nessas áreas para aprender com os exemplos, pois eles a ajudarão a perceber como as orações das guerreiras de oração podem derrotar o inimigo em *qualquer* campo de batalha.

O CAMPO DE BATALHA NA LUTA POR CLAREZA DE MENTE

Há uma importante zona de guerra que não se encontra no governo, nos bairros infestados pelo crime, na mente de um *hacker*, nem no reino de traficantes, molestadores de crianças ou estupradores. Ela se encontra no reino invisível, que é tão real quanto o físico. Trata-se do campo de batalha de nossa mente.

Vou repetir, pois isso é muito importante. Se você aceitou Jesus como seu Salvador, o Espírito Santo de Deus habita em você. Ele é o selo de que você pertence a Deus. O inimigo não pode assumir o controle de sua mente. No entanto, ele ainda pode mentir para você e travar uma batalha em sua mente, de modo que ela se torna o próprio campo de batalha.

Na mente nós expressamos nossa vontade e tomamos decisões que afetam nossa vida e a vida dos outros. Por isso ela é um dos lugares prediletos do inimigo para usar suas mentiras e obter grandes vantagens.

O inimigo usa nossos sentimentos de culpa, condenação, medo, ansiedade, indignidade, desesperança e autodepreciação, bem como outros sentimentos negativos, a fim de nos atacar. Esses pensamentos e sentimentos residem em nós devido a experiências passadas, recentes ou não. Em algum momento da vida, acreditamos nas mentiras do inimigo. E uma vez que não estávamos cientes do que a Palavra de Deus diz a nosso respeito (ou então por não crer na Palavra de todo o coração), não discernimos a atuação do inimigo. Quando sabemos a verdade, podemos vestir a armadura de Deus e usar a Palavra não apenas como escudo de fé para combater essas mentiras, mas também como nossa maior arma contra o propagador delas.

Desde a infância eu travei uma batalha em minha mente. Fui criada por uma mãe com distúrbios mentais. Sofri maus-tratos verbais e físicos, mas acredito que o fato de ela ter me trancado no *closet* várias vezes em minha infância tenha ocasionado as consequências mais graves. Ela dizia com frequência que eu não valia — e nunca valeria — nada. Falava que eu não merecia nada, principalmente felicidade ou sucesso na vida. Como resultado, cresci com todos os sentimentos negativos que alguém pode ter. Ouvia constantemente essas mentiras em minha mente. Desesperada, buscava escape de minha condição infeliz, mas não conseguia encontrar nenhum, exceto o suicídio. Aos 20 e poucos anos, enquanto planejava dar cabo de minha vida assim que juntasse uma quantidade suficiente de comprimidos soporíferos, uma amiga com quem eu trabalhava percebeu que eu não estava nada bem e me levou para conversar com o pastor de sua igreja. Ele me levou ao Senhor.

Quando eu aceitei Cristo, a mais bela luz que dá vida brilhou nas trevas em que eu residia desde criança. Quanto mais aprendia a verdade sobre ele e o que ele havia feito por mim, mais reconhecia a batalha travada em minha mente e a necessidade de me libertar. As pessoas oravam para que eu fosse liberta do padrão de pensamentos negativos e, um a um, eles foram desaparecendo, até que fiquei totalmente livre.

Hoje sei que estou liberta do tormento dos pensamentos negativos e autodestrutivos. Estou livre deles, graças a guerreiros e guerreiras de oração que oraram por mim e a meu entendimento da Palavra a respeito dessas coisas. Ninguém que recebeu o Senhor em sua vida e tem o Espírito Santo precisa suportar essa batalha mental.

Quando uma batalha entre *nossa* vontade e a vontade *de Deus*, entre o *bem* e o *mal*, entre a *verdade* e a *mentira* estiver sendo travada em nossa mente, a Palavra de Deus nos dará clareza de pensamento. O inimigo sempre tentará fazê-la questionar a Palavra de Deus, assim como fez com Eva. Ela não permaneceu firme no que Deus tinha dito. O inimigo tentou Jesus no deserto, mas ele resistiu combatendo por meio da Palavra.

Precisamos reconhecer quando o inimigo está usando nossa mente como campo de batalha. Se você imaginar que o campo de batalha está em seu colega de trabalho inescrupuloso, em seu parente abusivo ou em alguém da escola que o ofendeu, não perceberá como o inimigo está tentando gerar dor e confusão em sua mente e em seus sentimentos. É preciso tirar o campo de batalha do inimigo e trazê-lo para dentro de seu *closet* de oração.

Se você estiver convivendo com depressão, raiva, ressentimento, solidão, dúvida, medo, ansiedade, desesperança, sentimento de inutilidade, carência afetiva, ou sentir-se como se todos estivessem contra você, saiba que esses pensamentos negativos são a tática favorita do inimigo. Ele está levando a guerra ao lugar onde você é mais vulnerável. Ali ele provavelmente pode nos vencer com mais facilidade, pois temos a tendência de achar que não há solução para nossos problemas ou que *merecemos* nos sentir infelizes.

Quando o campo de batalha é sua mente, você experimentará tormento, confusão, pensamentos negativos, medos irracionais, dúvida extrema, raiva ou muitas outras emoções destrutivas. Mas a

Bíblia diz que devemos nos esforçar para pensar sobre coisas opostas a essas. Paulo disse:

> Tudo o que for verdadeiro, tudo o que for nobre, tudo o que for correto, tudo o que for puro, tudo o que for amável, tudo o que for de boa fama, se houver algo de excelente ou digno de louvor, pensem nessas coisas.
>
> Filipenses 4.8

Concentrar-se nessas coisas verdadeiras ajudará você a identificar os pensamentos enganosos.

Não podemos nos dar ao luxo de ignorar essa frente de batalha. Na verdade, você precisa obter segurança nessa frente antes de partir para outras, a fim de não ser enfraquecida. Você não precisa lutar a batalha em duas frentes — não é que não possa fazê-lo; você *pode* lutar uma batalha pessoal ao mesmo tempo que luta pelos outros. Mas lidar primeiramente com seus problemas pessoais a fortalecerá em todas as outras áreas.

O campo de batalha na luta pela vida de seus filhos

O inimigo sempre quer seus filhos, e ele tentará destruí-los ou ganhá-los de alguma maneira. É por isso que você deve pedir a Deus todos os dias que lhe revele se o inimigo está atacando algum de seus filhos. Se, por exemplo, seu filho anda com más companhias, desenvolve hábitos ruins ou parece atraído por coisas erradas, pode ter certeza de que o inimigo está armando algo contra ele. Reconheça que sua batalha é contra o inimigo, não contra seu filho. Você deve permanecer firme em oração nesse campo de batalha em que seu filho está sendo atacado e livrá-lo das garras do inimigo. Não se assuste pensando que precisa conversar com o inimigo (conheço algumas pessoas que se assustariam). Você não tem de fazê-lo. Contudo, precisa ter domínio sobre as forças das trevas que operam na vida de seu filho. E isso se dá por meio da oração.

Não se encolha de medo diante de qualquer ameaça do inimigo. Permaneça firme na Palavra e clame seu filho para o reino de Deus.

Não importa quantas vezes já o tenha feito, faça mais uma vez. Declare a Palavra de Deus. Lembre-se do dia em que dedicou seu filho ao Senhor. Se ainda não fez isso, faça agora. Se o inimigo tem uma entrada em sua vida por causa do pecado, confesse-o agora e se acerte com Deus. Não dê poder ao inimigo por meio de algum pecado não confessado. Sim, seus pecados podem afetar a vida de seus filhos. Os pecados dos pais influenciam a vida dos filhos até a terceira e quarta gerações, a menos que essa corrente seja quebrada por você, por seu filho ou por alguém forte na fé e na Palavra de Deus. Conhecemos muitos casos em que as escolhas pecaminosas do pai ou da mãe deixaram o filho vulnerável, levando os problemas ao encontro dele.

Se seu filho ainda é pequeno, ele não sabe lutar por si mesmo contra o inimigo. Mas *você sabe*. Então o faça. Não desista. Seu filho pertence ao Senhor. Clame-o para o reino de Deus. Mesmo que seja preciso orar todos os dias até que a criança esteja liberta, continue a fazê-lo.

Meu marido e eu sempre oramos pela vida de nossos filhos, principalmente quando eram adolescentes. Eu pedia a Deus diariamente que me revelasse qualquer coisa que estivesse acontecendo na vida deles e que eu precisasse saber. E Deus me mostrava. Quando meu marido e eu tínhamos de confrontá-los sobre alguma coisa, orávamos juntos *antes*, pois a batalha tinha de ser vencida primeiro no reino espiritual para depois ser vencida na vida deles. O inimigo tinha de ser exposto e sua influência, rompida. Meus filhos me disseram várias vezes que odiavam o fato de nunca conseguirem esconder de nós quando haviam feito algo de errado. Depois de adultos, agradeceram-nos por isso.

Às vezes os problemas eram consequências de escolhas ruins que faziam, como ouvir músicas cujo conteúdo não agradava a Deus. Eles traziam as músicas para casa, e nós as jogávamos fora. Penduravam pôsteres glorificando grupos musicais que não honravam a Deus, e nós os rasgávamos. Por fim perceberam que não valia a pena e pararam com aquilo. Reconhecemos que aquele era o campo de batalha onde o inimigo procurava ganhar a mente e o comprometimento de nossos filhos. Quase todos os pais enfrentam essa batalha hoje. Meu marido e eu lutamos contra o inimigo na guerra espiritual e nos recusamos a lutar contra nossos filhos. Simplesmente informamos a eles que não iam trazer coisas detestáveis para dentro de casa e que, se o fizessem, haveria consequências. Não estou dizendo que a batalha na oração não foi longa e difícil. Com certeza foi! Mas não desistimos. E as fortalezas do inimigo foram derrubadas.

Houve outras batalhas quando o inimigo procurou fazer nossos filhos caírem em suas armadilhas. Um incidente que nunca tornei público (contei apenas a alguns amigos mais próximos) ocorreu quando minha filha tinha 18 anos. Ela havia arranjado um emprego como estagiária e trabalhava três vezes por semana à noite. Eu ficava preocupada porque, depois do trabalho, ela precisava andar até o carro, atravessando um estacionamento escuro. Apesar de outros colegas saírem no mesmo horário, eu sabia que ela confiava demais nas pessoas — principalmente aquelas que ela *achava* que conhecia, mas não conhecia. Orava sempre por ela, e ainda mais quando sabia que ela estava no trabalho. Nunca conseguia dormir ou descansar enquanto ela não voltasse para casa.

Embora eu não gostasse de ter minha filha adolescente fora de casa sozinha até tarde da noite, sabia que ela precisava aprender o valor de trabalhar para ganhar o próprio dinheiro e assumir responsabilidades. Ela aprendeu rápido.

Depois do trabalho, minha filha sempre me ligava ao entrar no carro para dizer que estava vindo para casa. Certa noite ela me ligou e disse: "Mãe, estou indo para casa", como sempre fazia, mas havia algo naquela ligação que me incomodou. Senti algo diferente em sua voz e entendi que o Espírito Santo estava me dizendo para orar. Então, depois de desligar o telefone, comecei a orar por ela. Eu sabia que estava lutando e que o campo de batalha era a vida de minha filha, pois sentia que precisava interceder por ela ainda mais que de costume. Minha preocupação aumentou quando ela não chegou após os vinte minutos que normalmente demorava. Orei diversas vezes para que nenhuma arma forjada contra ela prevalecesse. Orei pela proteção de Deus. Não liguei porque não gostava que ela falasse ao celular enquanto dirigia. Não achava isso seguro.

Quando ela finalmente chegou em casa, cerca de quinze minutos depois que o normal, fui falar com ela para ver se estava tudo bem. Ela disse que estava feliz por estar em casa e que tinha sido uma noite muito cansativa e foi direto para a cama. Achei estranho ela não entrar na cozinha para comer alguma coisa e bater papo, mas dava para ver que ela estava exausta.

Demorou um tempo para ela me contar o que tinha realmente acontecido naquela noite. Disse que esperou me contar a verdade porque sabia que eu ficaria brava por ela ter desobedecido a uma de nossas regras.

Ela trabalhava numa escola de música e estagiava como professora. Um jovem frequentava o local três vezes por semana, de modo que ela o via todas as noites desde que começou a trabalhar lá. Nos meses que antecederam o episódio, eles tinham conversado muito pouco. Ele não era seu aluno, e a conversa entre os dois era sempre breve, mas ele tinha um papo bastante agradável e parecia simpático e educado. No fim daquela noite, quando as aulas terminaram, ele a convidou para tomar um café e continuar uma conversa que tinham começado mais cedo. Sem muito discernimento a respeito da verdadeira natureza das pessoas, ela aceitou o convite. Eu lhe tinha dito várias vezes para nunca ir a lugar nenhum com alguém que ela não conhecesse bem. Ela pensou que, por ver o rapaz com frequência no local de trabalho, já o conhecia bem o suficiente para ir com ele a algum lugar público durante meia hora.

Outra instrução — à qual ela obedeceu — era que ela nunca entrasse no carro com um estranho dirigindo, principalmente homens. Disse a ela: "*Você* sempre deve dirigir. Você deve estar no controle do carro. Mesmo se a pessoa não tiver más intenções, você não sabe se ela dirige com segurança". O rapaz sugeriu que ela dirigisse, e ela achou isso um bom sinal. Ele disse que a guiaria, pois ela não conhecia muito bem a região. Ela só costumava dirigir para o trabalho.

Ele entrou no carro com ela e lhe disse para onde virar no estacionamento e que caminho seguir na rua principal. Depois de mais algumas curvas, disse para ela entrar à direita numa rua estreita que levou a uma estradinha subindo o monte, cercada de árvores dos dois lados. Ela queria voltar imediatamente, mas a vegetação era densa de ambos os lados e não havia espaço para fazer o retorno. E estava muito escuro, por isso dar ré não era uma boa ideia. Ela estava presa em seu próprio carro numa estrada tão estreita que não havia espaço nem mesmo para abrir a porta. Não queria seguir adiante, mas não via alternativa.

Ela começou a ficar com medo e a chorar. Ele não reagia. Ela sentiu que sua vida corria perigo e começou a orar desesperadamente em voz alta: "Me ajuda, Jesus! Me salva!". Orou várias vezes. O rapaz, que parecia simpático no trabalho, tinha mudado de repente e se tornou frio e insensível. Não demonstrava nenhuma compaixão por ela. Não perguntou por que ela estava chorando. Ele sabia.

Nem mesmo a súplica de minha filha a Jesus para resgatá-la perturbou a frieza do rapaz. Ele parecia uma pessoa totalmente diferente, e suas más intenções eram óbvias, a despeito das súplicas de minha filha. Ele tinha algum plano em mente, e ela sabia que talvez não saísse viva daquela situação. Estava aterrorizada.

A estrada não deu em lugar nenhum, levando apenas a uma pequena clareira. Não havia nada nem ninguém ali e estava completamente escuro, exceto pelos faróis do carro. Ela sabia que não havia saída e temia o que estava prestes a ocorrer. Sabia que poderia ser estuprada e assassinada naquele lugar, e seu corpo jamais seria encontrado. A essa altura, minha filha estava soluçando convulsivamente, mas o rapaz continuava a demonstrar frieza.

Ele disse para ela parar o carro e sair. Ele saiu do carro imediatamente, deixando a porta do carro aberta para que ela não travasse as portas e escapasse. Não havia espaço suficiente para fazer o retorno e descer o monte.

Estava tão escuro que, quando o rapaz se afastou apenas dois passos do carro, ela não conseguia mais vê-lo. Ele repetiu num tom brusco: "Saia do carro!". E ela respondeu: "Tudo bem, vou sair", tentando ganhar tempo. Foi quando pegou o telefone e me ligou. Disse que se esforçou para falar com a maior naturalidade possível a fim de não deixá-lo nervoso. Foi quando ela me disse que estava indo para casa para que ele soubesse que alguém estava esperando por ela.

Naquele momento ela já não tinha mais certeza de onde ele estava, pois não conseguia vê-lo. Estava com medo de que aparecesse repentinamente ao lado dela. Travou sua porta e decidiu que não ia sair do carro e deixar que ele a levasse para dentro da floresta. Ele teria de matá-la ali mesmo. Enquanto pensava em como poderia lutar contra o rapaz, de repente ele saiu correndo da mata assustado e pulou para dentro do carro. Bateu a porta com força e gritou: "Vamos embora! Vamos! Tem alguma coisa horrível na floresta!". Ele parecia muito assustado e desesperado.

Ela fez o que ele pediu.

Ele a guiou pela estrada que descia pelo outro lado do morro, pois era impossível voltar pelo mesmo caminho. Desse lado do morro, porém, a estrada era bastante tortuosa e inclinada do lado do motorista. A visibilidade era ruim.

O rapaz continuava a gritar: "Mais rápido, mais rápido!". Mas ela sentia que já estava indo rápido demais por aquela estrada perigosa.

Ele estava obviamente aterrorizado e continuava dizendo:

— Tem uma coisa horrível lá fora.

— O que você viu? — ela perguntou.

— Não sei... foi horrível... Não sei... É assustador... tem uma coisa horrível lá fora — ele parecia realmente perturbado.

— O que você viu? — ela perguntou mais uma vez. Mas ele não conseguia juntar nem três palavras para descrever.

Ele não disse mais nada até voltarem ao estacionamento, onde desceu. Ainda estava visivelmente abalado quando saiu do carro dela e entrou no dele. Ela foi para casa imediatamente, e nunca mais o viu. Pouco tempo depois, ela pediu demissão.

Mais tarde naquela noite, ela pensou: "Como ele poderia ter visto alguma coisa naquela escuridão? Se fosse uma pessoa ou um animal, ele teria conseguido descrevê-lo. Se fosse um objeto inanimado, poderia ter dito o que era". Ela me disse que, seja lá o que ele tivesse visto na floresta, deu paz a ela. Sabia que era do Senhor.

Depois que ela me contou aquela história, eu lhe disse como tinha sentido a direção para orar em favor dela naquela noite. Comentei que não conseguia me livrar da sensação de inquietação, de modo que orei por proteção, para que nenhuma arma forjada contra ela prevalecesse e para que nenhum plano do inimigo obtivesse êxito na vida dela. Orei muitas vezes especificamente para que o Senhor a cercasse de seus anjos. Naquele momento, nós duas chegamos à mesma conclusão: seja lá o que o rapaz tivesse visto, havia sido *enviado por Deus*. Algo indescritível para um descrente estava ali naquela floresta. E Deus o enviou. Acreditamos que ele possa ter visto anjos guerreiros empunhando espadas ou, quem sabe, o anjo do Senhor. Ele não apenas *sentiu* a presença aterrorizadora deles, mas também *viu* algo.

Muitas vezes, na Bíblia, quando um anjo enviado por Deus aparece a alguém, a primeira coisa que ele diz para a pessoa é: "Não tema". As pessoas tinham medo, mesmo quando o anjo vinha com boas notícias. Esses anjos causam grande impressão e temor. Imagine como deve ser estar diante de um anjo desse tipo, empunhando uma espada de forma ameaçadora a um descrente prestes a fazer algo mal contra um filho de Deus. A Bíblia diz: "A seus anjos ele dará ordens a seu respeito, para que o protejam em todos os seus caminhos; com as mãos eles o segurarão, para que você não tropece em alguma pedra" (Sl 91.11-12). Imagine ainda mais quando duas guerreiras de oração estão clamando desesperadamente por socorro das garras da morte.

O anjo do Senhor é mencionado diversas vezes na Bíblia. "O Senhor abriu os olhos de Balaão, e ele viu o anjo do Senhor parado no caminho, empunhando a sua espada. Então Balaão inclinou-se e prostrou-se, rosto em terra" (Nm 22.31). A Bíblia também diz:

"O anjo do Senhor é sentinela ao redor daqueles que o temem, e os livra" (Sl 34.7).

Aquele incidente mudou a vida de minha filha. Ela sempre foi uma pessoa de grande fé, mas viu o poder de Deus se manifestar de modo inesquecível em favor dela em resposta à sua oração. Nunca mais foi a mesma desde então. Embora não tenha a mesma confiança nas pessoas, ela confia plenamente na mão protetora de Deus em sua vida.

Ser guerreira de oração é isso. É orar regularmente e fazer depósitos de oração no banco celestial, até que um dia você precisará fazer um grande saque. Acredito que todos os anos em que meu marido e eu oramos pela segurança de nossa filha foram acumulativos. E precisavam ser. Acabaram sendo a salvação da vida dela.

Nossas orações têm poder. Nunca duvide disso. Quanto mais você orar, mais poder suas orações terão e mais respostas verá. Fomos à batalha em oração, e o inimigo foi derrotado. Graças ao Senhor, nossas orações resultaram num milagre.

O campo de batalha na luta por nosso casamento

O inimigo ataca onde quer que ele tenha chance — ou seja, onde ele encontrar maior vulnerabilidade. Uma de nossas áreas de vulnerabilidade é o casamento. Ele não gosta do casamento porque foi instituído por Deus e é por meio dele que os filhos nascem, são criados e Deus é glorificado na família. E o inimigo não quer que Deus seja glorificado, pois é obcecado com sua própria glória.

O inimigo atacará no campo de batalha de seu casamento sempre que puder. Se há egoísmo por parte do marido ou da esposa, o inimigo trabalhará por meio dessa fraqueza. Sua estratégia predileta é causar discórdia entre marido e mulher para que eles magoem um ao outro com palavras e atos grosseiros e nunca pensem em culpar o inimigo por incitá-los. Eles culpam um ao outro.

A pessoa a quem mais amamos também pode nos magoar mais que qualquer outra, principalmente no casamento. Mas não devemos reagir a nosso cônjuge como se *ele* fosse o inimigo. Em vez disso, devemos ir a Deus em oração e pedir que ele nos mostre a verdade sobre o que está acontecendo. Não se deixe arrastar para a batalha contra seu cônjuge. Aproxime-se de Deus e proclame a verdade contra o inimigo.

Meu casamento teve problemas desde o início, pois eu carregava uma grande bagagem de mágoas e sentimentos negativos a respeito de mim mesma que tiveram origem na infância. Meu marido carregava uma bagagem de raiva devido a algumas experiências dolorosas do passado. Sua raiva direcionada a mim me fazia sofrer ainda mais, e meu crescente afastamento dele o deixava ainda mais furioso. Esse abismo entre nós se tornou insuportável.

Quando finalmente entendemos que o campo de batalha para o qual o inimigo nos tinha trazido era o casamento, viramos o jogo. Reconhecemos a raiz do problema e fomos à batalha contra o inimigo em oração. Esse é um resumo simplificado de minha experiência com o casamento, mas quero ressaltar que um dos campos de batalha usados pelo inimigo é nosso casamento. Você pode encontrar a história na íntegra em meu livro *O poder da esposa que ora*.

Há muitos guerreiros e guerreiras de oração mundo afora intercedendo pelo casamento. Não vejo como alguém pode sustentar um casamento sem oração vigilante. Mesmo se você for o único cônjuge orando, poderá ver um milagre. Isto é, a menos que seu cônjuge seja tão rebelde a ponto de se recusar a ouvir sobre Deus. Nesse caso, entregue-o nas mãos do Senhor. Ele tem um jeito de falar a nosso coração que é único.

Sempre que sofrer ataques do inimigo, determine qual o campo de batalha. É importante ter clareza sobre quais são os limites da batalha que você está travando. É pessoal (na mente, no corpo, na alma ou no coração)? Em seus filhos? Em seu casamento, trabalho, saúde? Em favor de outras pessoas? Que pessoas e onde? Num relacionamento? Com algum vizinho? Colega de trabalho? Em sua igreja? Onde? O quê? Seja o mais específico possível para ter clareza sobre o lugar aonde o inimigo levou a batalha. Seja onde for, traga o campo de batalha para o lugar que *você* escolheu — para seu *closet* de oração.

* * *

Oração para a guerreira de oração

Senhor, sei que o campo de batalha é todo lugar onde eu estiver orando, pois a oração é a batalha. Contudo, quando o inimigo trouxer a batalha até mim, ajuda-me a discernir qual é exatamente o campo de batalha. Capacita-me a enxergar a verdade a respeito daquilo que estou enfrentando. Ajuda-me a estar tão ciente a ponto de saber exatamente como orar. Ensina-me a reconhecer os planos do inimigo e a tomar controle de suas táticas em oração.

Não permitas que eu ignore teu chamado. Quando me disseres para orar por tal pessoa ou situação, capacita-me a te ouvir e não deixes que eu me sinta demasiado cansada ou preocupada para orar. Ensina-me a atender à tua vontade com prontidão. Sei que as "armas com as quais lutamos não são humanas; ao contrário, são poderosas em Deus para destruir fortalezas" (2Co 10.4). Ensina-me a destruir cada fortaleza que o inimigo procura erguer em minha vida e na vida das pessoas que puseste em meu coração. Ajuda-me a destruir argumentos e pretensões contrários a teu conhecimento, teus caminhos e tua vontade.

Capacita-me a sempre detectar a atuação do inimigo, para que consiga identificar o campo de batalha onde ele está travando uma guerra contra mim. Ajuda-me a enxergar com clareza quando o inimigo de minha alma atacar minha mente com pensamentos negativos. Ensina-me a guardar meus pensamentos e sentimentos sob o teu controle para torná-los obedientes a ti (2Co 10.5). Ajuda-me a levar cativo todo pensamento sob o teu senhorio. Sei que minhas armas são espirituais e que recebo poder de ti para usá-las em qualquer campo de batalha que se apresentar a mim. Obrigada porque teu anjo é sentinela ao meu redor, livrando-me e às pessoas por quem oro (Sl 34.7). Sou grata porque dás a teus anjos ordens a meu respeito e a respeito de minha família, protegendo-nos em todos os caminhos (Sl 91.11-12).

Oro em nome de Jesus.

Embora vivamos como homens, não lutamos segundo os padrões humanos. As armas com as quais lutamos não são humanas; ao contrário, são poderosas em Deus para destruir fortalezas. Destruímos argumentos e toda pretensão que se levanta contra o conhecimento de Deus, e levamos cativo todo pensamento, para torná-lo obediente a Cristo.

2Coríntios 10.3-5

10
Siga a ordem do Senhor para resistir ao inimigo

Como fazer o inimigo parar de nos atormentar? A Palavra de Deus diz: "Resistam ao Diabo, e ele fugirá de vocês" (Tg 4.7). Mas como resistimos a ele?

As palavras que vêm antes dizem: "*Submetam-se a Deus*".

No contexto militar, "submeter-se" significa obedecer ou subordinar-se ao capitão. Ouvimos falar de soldados que são condenados por insubordinação. Isso significa que não obedeceram a seu capitão. Não queremos jamais ser condenadas por insubordinação a Deus. Queremos nos submeter a ele, assim como o soldado se *submete* ao capitão — sem questionamentos.

Ao escrever às pessoas sobre os pecados que praticavam, Tiago estava dizendo que a amizade delas com o mundo as tornara inimigas de Deus. Elas pediam coisas a Deus, mas não as recebiam, pois pediam por motivos errados (Tg 4.1-5). Deus queria ser a prioridade no coração delas.

Deus também quer ser a prioridade em seu coração. Quando fazemos coisas que nos afastam dele, nossas orações não são respondidas.

O que nos afasta de Deus? O *pecado*. O *mundanismo*. O *orgulho* (Tg 4.6). Esses três costumam andar juntas. Mas o que pode pôr fim a isso tudo em nossa vida?

A humildade.

Resista ao inimigo rejeitando o orgulho

A cura para o orgulho, o mundanismo e o pecado é a humildade. E ela é a cura para muitas outras coisas. A humildade vem pela submissão a Deus.

Submeter-se a Deus significa humilhar-se diante dele e declarar nossa total dependência. Significa arrepender-se de todo orgulho.

O inimigo conhece nossas fraquezas. É por isso que cada ponto fraco nosso deve ser submetido a Deus, para que o Espírito possa nos fortalecer nessas áreas. Você já se perguntou por que tantos líderes cristãos têm caído na imoralidade? É porque tinham áreas na vida não submetidas a Deus, e o inimigo pôde plantar tentação nessas áreas. A primeira ação do inimigo — e da pessoa usada pelo inimigo — era apelar ao orgulho deles. Alguém os elogiava, e eles se sentiam cheios de si. O orgulho cega as pessoas! O orgulho os fez pensar que estavam além dos limites da lei de Deus e por vezes além dos limites das leis humanas. Quando o orgulho encontra morada numa pessoa, ela se alinha ao inimigo — afinal, ela e o inimigo têm o orgulho em comum — e ele a conduz a caminhos que Deus jamais intencionou para ela.

Qualquer área não submetida a Deus em nossa vida é perigosa. Ela se torna automaticamente um convite para o inimigo entrar em nossa vida. É por isso que o primeiro passo para resistir ao inimigo é submeter-se a Deus em todos os aspectos.

Precisamos estar completamente firmadas nas coisas de Deus. Precisamos viver sobre um alicerce tão sólido que nossa vida não seja abalada quando o inimigo nos tentar por meio do orgulho. Quando resistimos ao diabo adotando uma postura de humildade, o inimigo se dá conta de que está desperdiçando tempo conosco e tentará a sorte com alguém mais receptivo a suas seduções.

Não importa a força com que o inimigo investe contra nós. Se estivermos determinadas a resistir — e isso acontece em nosso coração tão logo tomamos essa decisão —, o inimigo não prevalecerá.

Mas precisamos primeiramente nos submeter a Deus.

Somente quando nos submetemos a Deus, podemos resistir ao diabo com sucesso. Tentar resistir sem antes submeter-se a Deus é uma batalha perdida. Não podemos resistir por nosso próprio esforço sem o poder de Deus em nós. Só então é que podemos de fato nos aproximar de Deus, limpar nossas mãos, purificar nosso coração, entristecer-nos por nossos pecados, lamentar nossos fracassos, clamar a Deus por perdão mediante a confissão e o arrependimento e nos humilhar perante o Senhor. Quando Deus nos vê curvadas diante dele, numa postura de humildade, ele nos exalta.

Jesus disse: "*Quem se exalta será humilhado, e quem se humilha será exaltado*" (Lc 18.14). Quando nos humilhamos diante dele, ele nos concede *graça*. E não podemos resistir ao inimigo sem a graça de Deus. O Senhor está determinado a derrubar os orgulhosos e a exaltar os humildes. A Palavra diz: "*Humilhem-se debaixo da poderosa mão de Deus, para que ele os exalte no tempo devido.* Lancem sobre ele toda a sua ansiedade, porque ele tem cuidado de vocês" (1Pe 5.6-7).

Submeta-se a Deus humilhando-se diante dele, e ele a exaltará.

Quando resistimos ao orgulho, estamos resistindo ao inimigo. Quando nos aproximamos de Deus, ele responde com reciprocidade. "Aproximem-se de Deus, e ele se aproximará de vocês! Pecadores, limpem as mãos, e vocês, que têm a mente dividida, purifiquem o coração" (Tg 4.8). Ter a mente dividida significa ter um pé no mundo e outro no reino de Deus. Desse modo, nunca receberemos tudo o que Deus tem para nós. Devemos purificar nossos desejos de forma completa a ponto de nos entristecermos por causa do orgulho, do pecado ou dos mundanismos que vemos em nossa vida. Nosso reconhecimento completo disso nos levará ao lamento (Tg 4.9). E esse é o caminho certo.

Os orgulhosos resistem a Deus, mas Deus se opõe aos orgulhosos (Tg 4.6).

A última coisa de que precisamos é que Deus se oponha a nós.

Guerras e lutas derivam principalmente da rebeldia contra Deus (Tg 4.1-2). Isso acontece quando queremos o que *nós* queremos, sem nos importar com o que *Deus* quer. Todo pecado é iniquidade. E toda iniquidade é rebeldia contra Deus. *A raiz da rebeldia contra Deus é o orgulho.* O orgulho leva as pessoas a travarem uma batalha contra Deus, aliando-se ao inimigo.

Abraão escolheu aliar-se a Deus. "'Abraão creu em Deus, e isso lhe foi creditado como justiça', e ele foi chamado *amigo de Deus*" (Tg 2.23). O sobrinho de Abraão, Ló, escolheu aliar-se ao mundo. Como resultado, Abraão foi abençoado por Deus, e Ló perdeu tudo. Devemos optar por ser amigas *de Deus* e jamais nos aliar ao inimigo. Isso significa se importar mais com o que *Deus* pensa de nós do que com o que qualquer outra pessoa pensa.

Deus nos dá novo ânimo quando somos humildes.

Pois assim diz o Alto e Sublime, que vive para sempre, e cujo nome é santo: "Habito num lugar alto e santo, mas habito também com o contrito e humilde de espírito, para dar novo ânimo ao espírito do humilde e novo alento ao coração do contrito".

Isaías 57.15

Deus habita em nós quando nos humilhamos diante dele.

Deus ouve nossas orações quando somos humildes. "*Tens ouvido*, Senhor, o *desejo dos humildes*; tu lhes fortalecerás o coração e lhes acudirás" (Sl 10.17, RA). Quando reconhecemos nosso orgulho e respondemos com tristeza e arrependimento em nosso coração, somos purificadas e fortalecidas.

Não deixe o inimigo lhe dizer que submeter-se a Deus a levará a perder alguma maravilhosa coisa mundana. Na verdade, é exatamente o oposto. Quando você se submete ao inimigo, está limitando tudo o que Deus tem para você. Submeter-se a *Deus* traz bênçãos muito além do que você pode imaginar para sua vida. O que você ganha é muito superior a qualquer coisa que o mundo tem a oferecer.

O inimigo quer nos separar de Deus, mas ele pode nos separar apenas se dermos ouvidos a *ele* em vez de ouvir a verdade *de Deus*. Quando nos submetemos a Deus e lhe obedecemos, não nos aliamos ao mal. Todas nós enfrentamos a sedução do inimigo para sermos orgulhosas. As guerreiras de oração são humildes. Faz parte da personalidade delas amar a Deus e se importar com os outros. Elas sofrem ao pensar que entristeceram Deus e fizeram o Espírito Santo lamentar por elas, como um pai com sua filha rebelde. O problema é que o orgulho pode se infiltrar em qualquer pessoa. Não podemos ignorar essa possibilidade. É por isso que devemos sempre orar para resistir ao inimigo, permanecendo humildes diante de Deus. E isso acontece ao caminharmos sempre com submissão a Deus.

Resista ao inimigo recusando o medo

Você é feito de "*espírito, alma* e *corpo*" — sua alma é feita de *mente* e *sentimentos*, e isso inclui sua *vontade* (1Ts 5.23). Deus quer que todos esses aspectos sejam submetidos a ele. Se o inimigo tem influência em alguma dessas áreas, o medo invadirá sua alma.

O medo aumenta à medida que nos envolvemos demasiado com o mundo. Se você tiver medo, o inimigo aproveitará essa oportunidade para aumentá-lo até deixar você emocionalmente paralisada. Esse é um dos motivos de tantas pessoas tomarem remédios. É provável que a raiz do problema seja o medo — medo de fracassar, medo de não atender às expectativas, medo do futuro, medo do julgamento, medo da crítica, medo do homem, medo de tudo. Por curiosidade, li um livro sobre medo e fobias e fiquei chocada ao descobrir que são tão numerosos como as estrelas. Há uma fobia para cada coisa na terra. E de onde vêm esses medos incontáveis? Não vêm de Deus. O medo é obra do inimigo. Sentimos medo quando ouvimos a voz do inimigo, e não a voz de Deus.

Não estou criticando ninguém que faça uso de remédios. Pelo contrário. Use remédios quando precisar deles. Conheço pessoas com diferentes fobias, e esses medos são bastante reais. Estou dizendo apenas que Deus tem libertação para o medo. E essa libertação é gratuita.

Antes de aceitar Cristo, eu era atormentada diariamente por diversos medos. A maioria deles se baseava no "E se...". Por exemplo: "E se um ladrão entrar em casa?"; "E se eu fracassar?"; "E se eu sofrer um acidente?"; "E se eu pegar uma doença mortal?". Lembro-me bem de como era horrível me sentir quase paralisada pelo medo. Era mais que simplesmente medo — era terror. Era o espírito do medo da parte do inimigo.

Quando me aproximei do Senhor, minha depressão e ansiedade eram tão intensas que busquei o aconselhamento da esposa de um pastor. Ela me aconselhou a fazer um jejum de três dias (e jejuou comigo) e, ao final, ela e a esposa de outro pastor oraram por mim, e fui liberta do medo, da depressão e da ansiedade. Senti grande alívio. Elas me disseram que "*Deus não nos deu espírito de covardia*, mas de *poder*, de *amor* e de *equilíbrio* (2Tm 1.7). A partir de então, não pensei mais no medo. Ele havia desaparecido, juntamente com a depressão e a ansiedade. Foi um milagre. Minha vida foi transformada. Louvei a Deus pelo poder, amor e equilíbrio que ele me dera.

Devo dizer que meu medo, minha depressão e minha ansiedade eram causados por um profundo ferimento em minha alma decorrente dos maus-tratos que sofri na infância. Tomei remédios, mas não ajudaram em nada; só me deixaram sem ainda mais esperança. Foi o amor maravilhoso e o poder de Deus que levaram embora todos os meus tormentos mentais e emocionais, e nunca mais me senti paralisada pelo medo. Não estou dizendo que não voltei a me sentir deprimida ou ansiosa, nem que não senti mais medo. Há acontecimentos na vida que nos fazem sentir exatamente isso. Quando me sentia assim, porém, eu buscava Deus e sua Palavra, e o sentimento ia embora. Desde então, o inimigo não exerceu mais esse tipo de influência em minha vida.

Algumas pessoas sofrem medo, depressão e ansiedade e *precisam* de ajuda médica. E nem sempre isso se deve a algo terrível do passado. Simplesmente há alguma substância de que o corpo delas precisa. Se você toma algum medicamento receitado por seu médico e ele o está ajudando, continue a tomá-lo e agradeça a Deus por essa ajuda. Não há por que se sentir mal a esse respeito em nenhum aspecto. Não deixe que isso a desanime, pois não a desqualifica para nada aos olhos de Deus. Você tem valor e propósito como qualquer um de nós, portanto não permita que o inimigo minta para você e a convença do contrário. Todos enfrentamos lutas. Apenas continue orando para que você e seu médico tenham sabedoria a respeito do que pode melhor ajudá-la.

Um medo muito recorrente é o de que o passado controle o futuro — ou seja, de que somos destinadas a repetir os fracassos e os erros cometidos no passado. Nada poderia estar mais longe da verdade. Essa é outra mentira do inimigo. A verdade é que você não é seu passado. Você é nova criatura em Cristo. Não estou dizendo que você deve *ignorar* seu passado. Reconheça-o por aquilo que ele foi. Caso tenha sido terrível e doloroso e você sabe que ele deixou grandes cicatrizes em sua mente e em seu coração, não o negue. Coloque tudo diante do Senhor. Ele lhe dará redenção ao trazer coisas boas de seus sofrimentos passados. É um dos muitos milagres que Deus realiza.

Paulo nos conta seu modo de viver: "*Esquecendo-me das coisas que ficaram para trás e avançando para as que estão adiante*, prossigo para o alvo, a fim de ganhar o prêmio do chamado celestial de Deus em Cristo Jesus" (Fp 3.13-14). Devemos fazer o mesmo. Deus a ajudará a deixar o passado para avançar na direção do futuro que ele lhe reserva. E o medo não fará parte desse processo.

O medo é uma das armas do inimigo. Resista. Conheça a verdade de Deus tão bem a ponto de não permitir que o mundo controle seus pensamentos nem determine o nível de sua paz. Não se deixe ser atraída pelos conflitos ao redor e ser derrubada por eles. Recuse-se a permitir que a mídia o aterrorize direcionando seus pensamentos e manipulando suas dúvidas. Não tolere as influências externas do mundo que a distraem do que acontece no reino espiritual. Recuse-se a sentir-se assustada, pois *Deus* nunca se assusta. Resista a todo tipo de confusão. Agradeça a Deus todos os dias pelo *equilíbrio* que ele lhe tem dado. Há apenas um incitador do medo e da confusão, e você sabe quem ele é.

Resista ao inimigo orando por milagres

Durante o período em que Pedro esteve preso, "a igreja orava intensamente a Deus por ele" (At 12.5). Muitas pessoas eram conduzidas pelo Espírito a orar por Pedro com fervor.

Enquanto Pedro, *preso com duas algemas*, cochilava entre dois soldados, *e sentinelas montavam guarda à entrada do cárcere*, "*apareceu um anjo do Senhor*, e uma luz brilhou na cela. Ele tocou no lado de Pedro e o acordou. 'Depressa, levante-se!', disse ele. Então *as algemas caíram dos punhos de Pedro*" (At 12.7). O anjo instruiu Pedro a calçar as sandálias e segui-lo. Eles não apenas passaram a primeira e a segunda guardas, como também *o portão abriu sozinho para eles*. Pedro se dirigiu à casa onde as pessoas continuavam a orar e, ao bater na porta, elas não podiam acreditar que era ele. Era um milagre ainda maior do que poderiam ter imaginado.

As orações fervorosas e incessantes dos cristãos, sob a direção do Espírito Santo, permitiram a libertação milagrosa de Pedro. *Enquanto as pessoas oravam, as algemas caíram de seus punhos*, os guardas adormeceram e o portão se abriu. Você nunca sabe como suas orações poderão libertar uma pessoa que está presa.

Deus quer fazer milagres por nosso intermédio. O problema é que muitas vezes não oramos por milagres, não cremos que possam acontecer. Ou então milagres acontecem, mas não conseguimos acreditar neles. Além de o inimigo não querer que os milagres de Deus aconteçam (pois nunca serão em benefício dele), ele sempre tentará roubar o milagre que Deus realizou ao trazer dúvida sobre ele. Mesmo depois de um milagre ter acontecido, o inimigo ainda tenta apagá-lo. Quando Jesus ressuscitou Lázaro dentre os mortos, os religiosos tentaram destruir o milagre planejando a morte de Lázaro (Jo 12.10). Não queriam que a notícia se espalhasse. À medida que o reino de Deus avança e milagres acontecem, o inimigo busca toda oportunidade para desacreditar cada um deles.

Quando Deus libertou os israelitas da escravidão, eles fugiram para o mar Vermelho e se viram encurralados. O grande exército de egípcios estava atrás deles e, em vez de ter fé em razão de todos os milagres que haviam acabado de testemunhar, os israelitas reclamaram, dizendo que deviam ter ficado no Egito. É provável que não tenham orado por outro milagre porque nem mesmo imaginavam um que fosse capaz de salvá-los. Quem poderia imaginar o mar Vermelho se abrindo ao meio para que eles pudessem atravessá-lo? Mas esta é a questão: com frequência deixamos de orar por um milagre porque não podemos imaginá-lo. Precisamos parar de fazer isso. Precisamos confiar no Deus que opera milagres e orar por milagres sem imaginar que temos de dizer a Deus como realizá-lo.

Mesmo após terem sido salvos pela divisão das águas do mar Vermelho e pelo afogamento dos soldados egípcios, os israelitas não confiaram em Deus. Ainda queriam a escravidão de volta porque era mais familiar que a nova liberdade. A liberdade era trabalhosa demais. Não oraram por milagres porque a vida deles sem milagres no Egito parecia mais fácil.

A Bíblia diz:

> Estejam alertas e vigiem. O Diabo, o inimigo de vocês, anda ao redor como leão, rugindo e procurando a quem possa devorar. Resistam-lhe, permanecendo firmes na fé, sabendo que os irmãos que vocês têm em todo o mundo estão passando pelos mesmos sofrimentos.
>
> 1Pedro 5.8-9

O inimigo ataca e engana cristãos de todo o mundo todos os dias, mas podemos resistir às táticas dele voltadas não apenas para nós, como também para qualquer pessoa, em qualquer lugar. Em sua primeira carta a Timóteo, Paulo o instrui para que combatesse o bom combate (1Tm 1.18). Suas palavras dizem que *nós* também podemos combater o bom combate, pois o Espírito Santo nos dá as armas e o poder necessários.

Nosso chamado a servir a Deus na condição de guerreiras de oração não deve ser temido ou evitado. Deve ser *acatado*. Recebemos poder por meio do Espírito Santo e não devemos dar ouvidos ao inimigo. Devemos seguir as ordens de Deus para resistir, orando por milagres até sentirmos a presença do Senhor realizando-os ou nos libertando do fardo daquela oração específica.

Ore para que Deus nos liberte da descrença e aumente nossa fé para crermos em milagres.

Quando Deus põe em seu coração o desejo de orar por algo, não duvide que você pode orar com eficácia nem pense que o alvo de sua oração é impossível de acontecer. Toda guerreira de oração deve estar convencida de que Deus pode operar milagres a qualquer momento e de que seu poder não está limitado àquilo que *achamos* ou *sentimos* que ele fará — ou àquilo que alguém de pouca fé decide que Deus não pode fazer. Devemos simplesmente orar por milagre. E deixar o resto nas mãos de Deus.

Resista ao inimigo sem nunca desistir

Submeter-se a Deus significa fazer tudo o que ele lhe pede para fazer. Significa permanecer ao lado *dele*. Resistir ao inimigo significa *não* fazer nada que ele quer que você faça. Significa permanecer *contra* ele.

Se você dá ouvidos às mentiras do inimigo, não está permanecendo firme contra ele. Ele sabe quando sua determinação é fraca. E sabe também quando não pode entrar e está desperdiçando tempo. Nesse caso, ele vai embora, prometendo retornar num momento de fraqueza. Contudo, se estiver determinada a permanecer dependente do Senhor e da força *dele*, você será forte o suficiente para evitar qualquer momento de fraqueza.

Jesus disse que os homens devem "orar sempre e nunca desanimar" (Lc 18.1).

Não desanime nem deixe de orar. O inimigo vence quando desistimos. E não se preocupe com suas provações. Elas não a tornam desqualificada para ser uma poderosa guerreira de oração.

> Nossos sofrimentos leves e momentâneos estão produzindo para nós uma glória eterna que pesa mais do que todos eles. Assim, *fixamos os olhos, não naquilo que se vê, mas no que não se vê*, pois o que se vê é transitório, mas o que não se vê é eterno.
>
> 2Coríntios 4.17-18

O inimigo tentará fazê-la desanimar. Ele lhe dirá que suas orações não têm poder e talvez você até desista de orar. Não lhe dê ouvidos. Continue com os olhos fixos em Deus.

O momento certo para se submeter a Deus é agora. O momento certo para resistir ao inimigo é agora. O momento certo para viver na liberdade que Cristo tem para você é agora. O momento certo para entregar sua vida em oração é agora. O momento certo para permanecer firme no Senhor (Fp 4.1) é sempre agora. Isso significa que você não deve parar de orar. Saiba que suas orações têm valor, mesmo aquelas que ainda não foram respondidas.

Jesus contou uma parábola sobre um juiz "que não temia a Deus nem se importava com os homens" (Lc 18.2). Havia, porém, uma viúva que se dirigia continuamente a ele, suplicando-lhe por justiça contra seu adversário. Por algum tempo o juiz se recusou, mas cansou de ser importunado pela viúva e decidiu ajudá-la. Em relação a essa história, Jesus disse: "*Acaso Deus não fará justiça aos seus escolhidos, que clamam a ele dia e noite?* Continuará fazendo-os esperar? Eu lhes digo: Ele lhes fará justiça, e depressa" (Lc 18.7-8). Muitas vezes as pessoas desistem de orar porque a resposta não vem. Mas Deus nos manda continuar a orar e nunca desistir.

Não comece o dia nem o deixe passar sem orar. Com isso em mente, recuse-se a sentir-se culpada quando deixar de orar um ou dois dias. A condenação e a culpa são armadilhas do inimigo. Peça a Deus que a ajude a passar tempo com ele todos os dias em oração. Esteja determinada a seguir as instruções divinas:

> *Alegrem-se sempre. Orem continuamente. Deem graças em todas as circunstâncias*, pois esta é a vontade de Deus para vocês em Cristo Jesus. Não apaguem o Espírito. Não tratem com desprezo as profecias, mas ponham à prova todas as coisas e fiquem com o que é bom. Afastem-se de toda forma de mal.
>
> 1Tessalonicenses 5.16-22

O inimigo é descrito como um leão que anda ao redor, rugindo e procurando a quem devorar. Precisamos estar alertas o tempo todo, "a fim de que Satanás não [tenha] vantagem sobre nós; pois não ignoramos as suas intenções" (2Co 2.11). Se o inimigo nunca tira um dia de folga, com o intuito de realizar seus planos malignos, então não devemos tirar um dia de folga sequer em nossa resistência a ele. Por isso, permaneça firme. Mantenha-se firme em tudo o que você sabe do Senhor e de sua Palavra. Esteja determinada a *não* se render ao inimigo em nenhum aspecto. "*Estejam vigilantes, mantenham-se firmes na fé*, sejam homens de coragem, sejam fortes" (1Co 16.13).

Aproxime-se de Deus todos os dias e submeta-se a ele. Esteja sempre pronta a ouvi-lo falar ao seu coração, pronta a lhe obedecer em todas as coisas e pronta a orar de acordo com a direção do Espírito Santo. Isso significa que seu coração nunca está fechado para Deus e que você está determinada a seguir as ordens do seu Capitão, como um bom soldado. Quando *você resistir ao inimigo, ou permanecer firme contra ele*, a promessa de Deus diz que o diabo "fugirá" (Tg 4.7). Não é "talvez ele vá fugir". Ele com certeza fugirá. Não tem alternativa.

Resista ao inimigo estando satisfeita

Suplicar é mais que simplesmente pedir algo de Deus.

Suplicar é orar até que o fardo que você carrega em seu coração seja entregue a Deus.

Ao transferir suas preocupações para ele, você experimenta o tipo de paz que leva embora todo descontentamento. Suplicar requer orar *por meio de* algo. Quer dizer *continuar orando* até obter resposta ou receber paz para parar de orar — o que vier primeiro.

Deus quer que você esteja satisfeita, não importa sua condição ou o que esteja acontecendo em sua vida. Isso não quer dizer que você tenha de *permanecer* nessa condição para sempre. Significa que você confia que Deus não a *deixará* nessa condição para sempre. Com Deus, as coisas estão sempre mudando em sua vida. *Ele* é imutável, mas você *não* é. Por isso Deus quer que você se torne cada vez mais parecido com ele.

Quantas pessoas já se afastaram de Deus porque ele não fez o que elas queriam que ele fizesse? *Apostasia* é afastar-se de Deus e de sua Palavra. É quando as pessoas adoram a Deus da boca para fora, mas têm o coração endurecido para ele. Jesus disse: "Este povo me honra com os lábios, *mas o seu coração está longe de mim*" (Mt 15.8). Deus quer nos levar numa jornada com ele todos os dias, mas muitas vezes queremos que tudo nos seja concedido sem jornada alguma. Deus deseja fazer muitas coisas em nossa vida, mas, para chegar aonde ele nos quer levar, precisamos viajar com ele passo a passo numa caminhada de fé. Queremos tudo agora em vez de estar satisfeitas onde estamos e com que temos no momento, sabendo que Deus nos reserva mais do que podemos imaginar.

Deus quer que você se torne cada vez mais dependente dele, a fim de levá-la a lugares que você não pode chegar sem ele. Quer que você confie que ele suprirá todas as necessidades de sua situação atual. Quer que você creia como Paulo: "O meu Deus suprirá todas as necessidades de vocês, de acordo com as suas gloriosas riquezas em Cristo Jesus" (Fp 4.19).

Paulo disse: "*Aprendi a adaptar-me a toda e qualquer circunstância*" (Fp 4.11). E a razão disso é explicada quando ele diz: "*Tudo posso naquele que me fortalece*" (Fp 4.13). Paulo podia estar satisfeito porque sabia que Jesus e o Espírito Santo lhe dariam forças para fazer o que era necessário. Precisamos estar certas disso também, pois nos ajudará a resistir ao inimigo, seja qual for a situação.

Resista ao inimigo lembrando-se da verdade

Uma das melhores formas de submeter-se a Deus e resistir ao inimigo é sempre se lembrar do que é verdade e do que não é. Quando você conhece a verdade de Deus, torna-se mais fácil rejeitar as mentiras do inimigo. O oposto disso é não conhecer a verdade de Deus e acreditar em qualquer mentira do inimigo. É por isso que você precisa conhecer bem a Palavra.

Aqui estão algumas coisas para lembrar e que vão ajudá-la a se apegar a Deus e a resistir ao inimigo.

Lembre-se disto:

- Deus ama você muito além de seu conhecimento e tem um plano maravilhoso para sua vida. Quando você segue Deus e lhe entrega sua vida, ele a capacita a se tornar tudo o que ele a criou para ser.
- O inimigo odeia você e despreza tudo o que Deus quer fazer em sua vida. Ele também tem um plano para sua vida, que é controlá-la e destruí-la. Com mentiras e enganos, ele fará o possível para tornar isso realidade.

- Deus lhe deu poder de domínio sobre a terra para seus propósitos divinos.
- O inimigo quer esse poder para seus propósitos malignos.
- Deus quer usá-la para realizar a vontade dele e para a glória dele à medida que ele a abençoa.
- O inimigo quer usar sua vida para ser glorificado, destruindo-a no processo.
- Deus lhe deu o livre-arbítrio e espera seu convite para operar poderosamente em sua vida.
- O inimigo não espera ser convidado. Ele operará em sua vida, a menos que seja impedido de fazê-lo. Ele quer que você rejeite Deus e passe para o lado dele.
- É impossível para Deus mentir. Deus fala apenas a verdade e nos dá sua Palavra sobre isso.
- O inimigo é pai da mentira. Ele controla as pessoas ao fazê-las acreditar em suas mentiras.

Nunca se esqueça de que...

- O inimigo está sempre tramando o mal. A única coisa que o impede são as orações dos santos — os guerreiros e guerreiras de oração. Não permita que esse aspecto se torne vago para você. Podemos orar a qualquer momento, dia ou noite, onde quer que estejamos, e é isso que devemos fazer quando sentirmos a direção do Espírito Santo para orar. Não podemos ignorar esses chamados.
- Precisamos passar tempo a sós com Deus para comunicar nosso coração a ele e ouvi-lo comunicar o coração *dele* a *nós*. Em nosso momento particular com Deus, somos reabastecidas do Espírito Santo, exatamente como acontecia com Jesus. Nossa mente e nossa alma são renovadas e fortalecidas. Obtemos mais clareza e podemos receber a orientação, o discernimento, a sabedoria e a revelação de que precisamos.
- Cristãos em todo o mundo enfrentam as mesmas dificuldades que *nós*. A Palavra de Deus nos orienta sobre o inimigo:

"Resistam-lhe, permanecendo firmes na fé, sabendo que os irmãos que vocês têm em todo o mundo estão passando pelos mesmos sofrimentos" (1Pe 5.9). Não estamos sozinhas em nossas lutas.

- Não importa a força do inimigo, Deus é maior. O poder do Espírito de Deus é muito mais forte que o do inimigo.
- Resistimos ao inimigo sempre que oramos. Quando permanecemos firmes em submissão a Deus, o inimigo foge de nós. É por isso que devemos estar sempre prontas para lutar em oração contra o inimigo. Devemos nos lembrar de que não estamos entrando em território pertencente ao inimigo. Estamos ocupando de volta o território que ele nos tomou.

* * *

Oração para a guerreira de oração

Senhor, ajuda-me a me submeter a ti em todos os aspectos possíveis. Mostra-me todas as áreas em minha vida em que não estou fazendo isso. Não quero ser amiga do mundo, pois valorizo a amizade contigo acima de tudo. Revela qualquer orgulho em mim, a fim de que eu possa me arrepender. Faze que o reconhecimento traga dor e lamento à minha alma. Rejeito todo orgulho em mim e rebeldia contra ti e reconheço que essas coisas são características do inimigo. Não quero jamais ir contra tua vontade nem cooperar com o inimigo. Quero resistir a ele de todas as maneiras possíveis para que tu não te oponhas a mim.

Ajuda-me a odiar o que é mau e a me apegar ao que é bom (Rm 12.9), a não resistir a ti e a não dar lugar ao diabo (Ef 4.27). Pertenço a ti desde o dia em que te recebi como Senhor de minha vida, portanto o inimigo não pode me controlar de nenhum modo.

Ajuda-me a resistir a todas as mentiras do inimigo e a não permitir que ele me convença de que fui desqualificada para ser a poderosa guerreira de oração que tu me chamaste para ser. Recuso-me a permitir que o inimigo me convença a desistir de orar. Não permitirei que ele me ameace com meu passado ou me torne insatisfeita com quem sou hoje ou com o que ainda não realizei. Capacita-me a resistir ao inimigo em todas as formas possíveis, para que ele fuja de mim. Não permitas que eu seja vencida pelo mal, mas ajuda-me a vencer o mal com o bem (Rm 12.21). Tu és a rocha sobre a qual permaneço e não serei abalada. Obrigada, Jesus, pois sou mais que vencedora por meio de ti.

Senhor, ajuda-me a ser uma guerreira de oração eficaz. Ensina-me a entender a autoridade que me deste em oração. Capacita-me a usá-la para destruir as fortalezas que o inimigo tenta estabelecer em minha vida e na vida das pessoas que puseste em meu coração. Não permitas que minhas orações sejam impedidas ou enfraquecidas em nenhum aspecto. Mostra-me o que tenho de fazer para que elas causem o maior impacto possível.

Oro em nome de Jesus.

Tu, Senhor, manténs acesa a minha lâmpada; o meu Deus transforma em luz as minhas trevas. Com o teu auxílio posso atacar uma tropa; com o meu Deus posso transpor muralhas. Este é o Deus cujo caminho é perfeito; a palavra do Senhor é comprovadamente genuína. Ele é um escudo para todos os que nele se refugiam.

Salmos 18.28-30

11
Enxergue as coisas da perspectiva de Deus

Há alguns anos, um grupo incrível de intercessoras se reunia em minha casa. Éramos seis e nos encontrávamos fielmente todas as terças de manhã. Tínhamos grande fé — éramos fortes guerreiras de oração — e estabelecemos limites no reino espiritual que o inimigo não podia ultrapassar. Não orávamos apenas por nós, por nossa família e por pessoas que faziam pedidos específicos, mas também por situações que sabíamos que precisavam da intervenção de Deus. Tínhamos visto respostas tão maravilhosas a nossas orações que a única explicação possível era a mão milagrosa de Deus. Orávamos durante três ou quatro horas por encontro. Levávamos a reunião a sério. Estávamos tratando dos negócios de nosso Pai celestial. Sabíamos que éramos chamadas. E éramos conduzidas.

Certa terça-feira de manhã, nosso grupo tinha se reduzido a três. Dois membros estavam viajando e o outro estava muito doente, com infecção pulmonar. Roz estava internada havia dois dias e continuava na UTI. Quando liguei para o hospital naquela manhã para saber de sua situação, ela me pareceu muito mal. A congestão em seu sistema respiratório havia invadido seus pulmões de tal forma que ela parecia mal conseguir respirar. Disse que estava piorando.

Contei a Suzy e Jan, as duas outras mulheres que estavam na reunião, o que Roz tinha dito. Lemos a Palavra de Deus e tivemos um momento de louvor como sempre fazíamos no início das reuniões de oração. Oramos imediatamente por Roz e pedimos a Deus que nos ajudasse a ver da perspectiva dele o que estava acontecendo. Ela estava a caminho da recuperação ou de fato piorava? Oramos durante algum tempo, mas nenhuma de nós sentiu que era hora de parar. Senti do Senhor que precisávamos ir ao hospital e orar por Roz lá. As duas outras guerreiras de oração concordaram de imediato.

No hospital, tão logo entramos no quarto de Roz, sentimos que enfrentávamos uma enorme batalha no reino espiritual. Começamos a adorar a Deus e agradecemos a Jesus por ele ser aquele que cura. Oramos por cura, mas podíamos ver que se tratava de mais que uma simples enfermidade. Talvez houvesse começado como enfermidade ou desequilíbrio no corpo de Roz, mas o inimigo tinha tornado a situação ainda mais grave. Não estou dizendo que ela não estava doente, mas que o inimigo não estava apenas impedindo-a de melhorar — ela estava piorando. Também não estou dizendo que devemos jogar toda a culpa no inimigo, mas sempre devemos pedir que Deus nos mostre de seu ponto de vista o que está acontecendo, para que saibamos como orar. Oramos para que nenhuma arma forjada contra Roz prevalecesse. (De novo esta passagem maravilhosa, Isaías 54.17.)

Quando começamos a orar por Roz, ela estava muito fraca, respirava com dificuldade e mal podia conversar senão por sussurros. Contudo, quanto mais orávamos, mais ela mostrava sinais de força renovada diante de nós. Enquanto orávamos, senti uma forte direção para tirar os buquês de flores que enchiam o quarto e colocá-los no corredor, do lado de fora. Continuamos a orar durante vinte minutos, mesmo enquanto enfermeiras entravam para ver como ela estava. Elas pareciam não se importar com o que estávamos fazendo. Terminado nosso momento de oração, Roz já mostrava melhora significativa. Sua força havia sido renovada, ela respirava normalmente e sua expressão facial estava visivelmente mudada. Parecia mais animada e falava livre e claramente. Ela descreveu de forma vigorosa quanto estava se sentindo melhor. "É um milagre", ela disse. E todas concordamos. Quando fomos embora, ela parecia muito bem. Havia uma atmosfera diferente no quarto. Pensamos que ela teria de permanecer um tempo no hospital para ter certeza de que tinha se recuperado e estava fora de perigo, mas para nossa surpresa Roz teve alta e foi para casa na manhã seguinte.

Alguns dias depois, recebi uma carta pelo correio endereçada a Suzy, a Jan e a mim. E é uma das razões por que conto essa história.

Mantenho a carta em meu caderno de orações durante todos esses anos (é nesse caderno que anoto todos os meus pedidos de oração, assim como as respostas). Dia desses, enquanto escrevia este capítulo, lembrei-me da carta e fui procurá-la. Sei que nunca a teria jogado fora, mas não a via há anos e não tinha certeza de que ainda estava lá. Então a encontrei num dos bolsos da capa do caderno de orações.

Gostaria que você pudesse vê-la, pois é uma carta de aparência oficial, que parece ter sido enviada por alguma divisão militar. Mas não foi. Pelo menos não *deste* mundo.

A carta dizia o seguinte:

11 de setembro de 1996
General Stormie Omartian
Esquadrão de Deus
Nashville, Tennessee

Prezada general Omartian,

Quando a sra., acompanhada da almirante Martinez e da coronel Williamson, entrou no quarto da UTI, eu estava sendo mantida presa, mas a vitória foi garantida quando vocês oraram. Deus seja louvado! Suas armas de carinho, de oração e da Palavra não poderiam jamais ser derrotadas.

Obrigada por sua obediência ao nosso Capitão para lançar uma manobra tão poderosa, estratégica e tática em meu favor. Serei sempre grata por meu resgate. Obrigada.

A serviço de Cristo, com amor,
Roz Thompson, Soldada do Exército do Senhor.

O senso de humor da carta nos fez rir. Mas aqui estamos, ainda amigas e guerreiras de oração anos depois. Agora enxergamos a batalha com muito mais clareza que naquela ocasião. Temos mais conhecimento a respeito do que a Palavra diz sobre a oposição que enfrentamos. E sabemos que nunca desistiremos.

Deus quer que enxerguemos as coisas da perspectiva dele. Tenho certeza de que ele não quer que vejamos tudo o que ele vê, mas com certeza quer que vejamos mais do que vemos. Por isso devemos pedir que ele nos revele tudo o que precisamos entender para orar de forma mais poderosa. Quando ele nos mostra algo que não víamos antes, pode ser de fato transformador.

Enxergar as coisas da perspectiva de Deus nos ajuda a orar pela vontade de Deus e entender melhor o tempo de Deus. E, quando nossas orações não são respondidas como esperávamos, isso nos ajuda a confiar sem hesitação que Deus sabe o que está fazendo, muito mais do que *nós* achamos que sabemos como as coisas deveriam ser feitas.

Paulo se refere a Deus como aquele "que dá vida aos mortos e *chama à existência coisas que não existem, como se existissem*" (Rm 4.17). Não é maravilhoso? Deus pode chamar à existência algo que não existe naquele momento. Por exemplo, ele pode criar uma solução inimaginável para uma situação aparentemente impossível. Pode dar vida a algo que morreu. Pode fazer reviver o amor entre duas pessoas. Pode pegar as partes quebradas de nossa vida e restaurá-las por completo. Pode trazer o bem de uma situação ruim quando isso não parece possível. Talvez não consigamos imaginar como ele o fará, mas não é preciso. Temos apenas de crer que ele *pode*.

Agradeça a Deus porque ele não se limita ao que pensamos ou imaginamos.

Quando somos atacadas pelo inimigo e não enxergamos nada, exceto desastre, precisamos lembrar que a solução pode estar bem mais além de nossa visão. Ele fez isso por mim inúmeras vezes. Quando pedimos, ele pode nos revelar coisas por meio do Espírito, e o Espírito sabe todas as coisas (1Co 2.9-10). Quando pedimos ao Espírito Santo que nos revele o que Deus deseja fazer numa situação, ele o fará.

Deus quer que sempre tenhamos em mente a eternidade. Afinal, essa é a perspectiva *dele*, e ele quer que *nós* a vejamos. Isso nos ajuda a entender que "os nossos sofrimentos atuais não podem ser comparados com a glória que em nós será revelada" (Rm 8.18).

Nossos sofrimentos neste mundo empalidecem em comparação às grandes coisas que Deus nos reserva. Esse entendimento muda nossa perspectiva em relação a tudo.

É por isso que, quando nossas orações não são respondidas como esperávamos, não devemos questionar a resposta do Senhor. Devemos sempre lembrar que *ele* é Deus. Com certeza, essa é a perspectiva *dele*, portanto deve ser também a nossa. Deus não é um gênio da lâmpada que nós comandamos. Muito longe disso.

Assim, se orarmos por um cristão enfermo, por exemplo, e ele não se recuperar e vier a falecer, devemos pedir a Deus que nos ajude a enxergar a situação da perspectiva dele. Há grande consolo em saber que ele sempre tem em mente nosso futuro eterno. Peça a ele que lhe dê um vislumbre de seu futuro eterno. Ele lhe dará uma visão, não importa quão breve for, e sua vida jamais será a mesma.

Está escrito a respeito do povo de Deus que se rebelou contra os caminhos do Senhor: "Deus lhes deu um espírito de atordoamento, olhos para não ver e ouvidos para não ouvir, até o dia de hoje" (Rm 11.8). Certamente aquele que lhes deu um espírito de atordoamento e olhos cegos para a verdade e ouvidos surdos para sua voz pode *nos* dar — aquelas cujo coração está aberto para ele e para sua voz — a capacidade de enxergar e entender o que ele deseja nos revelar.

Jesus mostrou que um líder piedoso é aquele que ajuda e serve aos outros. A verdadeira qualificação para o serviço a Deus é uma atitude do coração vista em ação. A última coisa que você esperaria de Jesus é que ele precisasse lavar os pés dos discípulos, mas é justamente isso que ele fez para demonstrar como servir a Deus servindo aos outros. Todas as vezes que você ora como guerreira de oração é como se estivesse lavando os pés de Jesus. Você se submete a ele como serva e faz o que mais lhe agrada — servir aos outros.

Da perspectiva de Deus podemos ver uma segunda chance para a grandeza

Deus é o Deus da segunda chance. Se isso não fosse verdade, todos estaríamos mortos. Você que cometeu erros enormes ou fez escolhas ruins e sente que pode ter perdido sua chance de fazer algo grandioso para Deus, saiba que isso não é verdade. Se você se desviou do caminho certo há tempos e não acredita que pode voltar a trilhá-lo, isso também não é verdade. A verdade é que no momento em que você se volta para o Senhor e *dedica* novamente sua vida à obra dele, ele restaurará sua vida. Você pode recomeçar.

O rei Davi, que se desviou do caminho que Deus tinha para ele e se envolveu com o pecado tanto quanto é possível fazê-lo, incluindo adultério, mentiras e assassinato, disse em Salmos 71.19-21:

> Tua justiça chega até as alturas, ó Deus, tu, que tens feito coisas grandiosas. Quem se compara a ti, ó Deus? Tu, que me fizeste passar muitas e duras tribulações, *restaurarás a minha vida*, e das profundezas da terra de novo me farás subir. *Tu me farás mais honrado e mais uma vez me consolarás.*

Se Deus pode fazer isso por seu rei escolhido, o homem segundo o coração dele que cometeu pecados terríveis, pode fazer o mesmo por você. Muitas vezes enxergamos a nós mesmas a partir de nosso passado. Deus nos enxerga a partir de nosso futuro. Enxergamos a nós mesmas a partir de nosso fracasso. Deus nos enxerga a partir de seu propósito.

Não é encorajador saber que, não importa quanto afundamos devido ao peso de nossas circunstâncias, podemos nos erguer novamente? Podemos recomeçar. Podemos fazer qualquer coisa que Deus nos chamou para fazer. Podemos ter uma segunda chance para a grandiosidade.

Devemos pedir a Deus que mostre nosso futuro da perspectiva *dele*, e não tentar controlá-lo por nós mesmas.

Uma das histórias mais incríveis da Bíblia relata como Abraão viajou com sua grande família, levando consigo todos os seus bens e servos para onde Deus o conduzia. Quando a família de Abraão e a família de seu sobrinho Ló haviam crescido demais para ocupar a mesma região, decidiram seguir caminhos separados para que a terra os sustentasse. Abraão deu a Ló a oportunidade de escolher primeiro.

Mas Ló não orou pedindo direção a Deus sobre que terra escolher. Assim, Ló escolheu *o que parecia ser* a melhor terra para ele e sua família.

A terra que Ló escolheu, porém, ficava perto de Sodoma, a cidade que Deus viria a destruir. Antes da destruição, Ló, sua mulher e suas filhas tiveram de fugir e perderam tudo o que possuíam. Durante a fuga, a esposa de Ló não seguiu a orientação de Deus para não olhar para trás, e esse passo de desobediência lhe custou a vida.

Falando em fazer as coisas como melhor nos parece (nitidamente uma característica da família), as filhas de Ló decidiram fazer exatamente isso. Para preservar a linhagem da família, certa noite, enquanto o pai estava inconsciente depois de ter bebido vinho em excesso, deitaram-se com ele. Dá para entender por que Ló bebia até ficar inconsciente: tinha perdido tudo, incluindo a mulher, e estava numa terra estrangeira, temendo pela própria vida. Havia escolhido a terra que lhe parecia melhor, mas isso se transformou numa maldição que não lhe trouxe nada além de tragédia.

Resumindo a história, as duas filhas de Ló engravidaram do pai. Não é incrível o que as pessoas fazem quando estão desesperadas e não se voltam para Deus pedindo orientação? Como resultado, a filha mais velha deu à luz um menino batizado de Moabe, o pai dos moabitas. E a filha mais nova teve um filho e lhe deu o nome de Ben-Ami, pai do amonitas. A origem dos moabitas e amonitas — inimigos do povo de Deus — começou com as filhas de Ló cometendo incesto com o pai a fim de terem filhos. Não há limites para quão baixo as pessoas que não buscam Deus podem chegar. (Leia a história de Ló em Gênesis 13 a 19.)

Abraão, em contrapartida, foi para onde Deus lhe ordenou ir, e Deus o abençoou.

Em minha vida, experimentei algo semelhante quando meu marido queria se mudar da Califórnia para o Tennessee. Eu não queria ir porque não imaginava deixar família, amigos, igreja e um estilo de vida que eu pelo menos entendia. Foi então que jejuei e orei pedindo a Deus para me mostrar essa decisão da perspectiva *dele*.

Deus claramente me revelou sua visão durante uma viagem para o Tennessee, e compramos uma casa antes mesmo de vendermos a nossa — um negócio bastante arriscado. Mas nós sabíamos que tínhamos de mudar o mais breve possível. E a razão — senti que Deus havia me mostrado — era que haveria um terremoto e nossa casa não estaria segura.

Assim, mudamos para o Tennessee sem vender a casa da Califórnia, e apenas alguns meses depois nossa casa foi destruída no terremoto de Northridge, de 1994. Minha família e eu ficamos impressionados com o que provavelmente nos teria acontecido caso tivéssemos decidido ficar na Califórnia. Nunca esquecemos como obedecemos a Deus e fomos abençoados. Uma vez que a casa não havia sido vendida, perdemos muito dinheiro, apesar de termos seguro contra terremoto — que descobrimos pagar apenas o valor da casa no momento dos tremores. (Meu conselho é que você compre uma boa lupa para ler os rodapés de qualquer contrato.) Todavia, estávamos agradecidos por estar vivos e por ter salvado nossos móveis e bens antes que a casa fosse destruída.

Quando meus filhos e eu retornamos a Los Angeles para conferir o estrago, choramos ao pensar como teria sido estar ali na hora do terremoto. Somos gratos pelo que Deus fez. Todos os nossos amigos e vizinhos concordaram que aquele foi o pior terremoto que haviam enfrentado, e era possível dizer pela expressão facial deles e pelo modo como falavam que estavam sendo sinceros. Se não tivéssemos pedido que Deus nos revelasse sua perspectiva sobre aquela situação, teríamos perdido outros bens. Talvez teríamos perdido a vida. Não estou dizendo que aqueles que passaram pelo terremoto não ouviram de Deus. Isso não é verdade. Eles estavam protegidos do terremoto, e suas casas não foram destruídas como a nossa.

É sempre melhor ter o que Deus quer que tenhamos do que nos empenharmos em conseguir outra coisa, pois o que Deus nos dá não vem com maldição. Somos ricamente abençoados no Tennessee, em aspectos que jamais sonhávamos ser possível. Foi a melhor decisão para nossa família, pois era a vontade de Deus, e nós obedecemos.

Conheço um homem que estava desempregado havia algum tempo e orava por um emprego. Quando um bom emprego lhe apareceu, ele assumiu o cargo e se comprometeu com a empresa para realizar o trabalho. Em seguida, porém, recebeu uma proposta de emprego em outra empresa que lhe *parecia* melhor. Então ele desfez o primeiro compromisso e assumiu o segundo emprego. Alguns meses depois, seu emprego fracassou, e aquele primeiro emprego, que ele havia dispensado, já tinha outra pessoa no lugar. Acabou perdendo os dois empregos porque não buscou a orientação do Espírito Santo para fazer a coisa certa. Não manteve seu compromisso com a primeira oferta de trabalho, que era uma resposta a suas orações. E não orou sobre a segunda oferta de trabalho. Aceitou-a sem hesitar. O primeiro emprego era numa empresa que obteve grande sucesso. A pessoa que o substituiu também foi bem-sucedida.

Quando seguimos a orientação do Espírito Santo, chegamos a um lugar de segurança e bênção. Quando insistimos em fazer as coisas de nosso jeito — um estilo de vida oportunista que nos faz agarrar o que nos parece ser a melhor oportunidade, e não o que Deus nos está conduzindo a fazer —, não experimentamos o melhor de Deus. Devemos ser capazes de enxergar as coisas da perspectiva de Deus. E isso requer pedir que Deus nos mostre a verdade sobre uma situação com base no ponto de vista dele.

Da perspectiva de Deus vemos a importância de nossas orações

Jesus disse: "Ninguém pode ver o Reino de Deus, se não nascer de novo" (Jo 3.3). É aí que começamos a enxergar as coisas da perspectiva de Deus. Precisamos nascer de novo, estar ancorados na Palavra de Deus e seguir a orientação do Espírito Santo, para entender como fazer avançar o reino de Deus na terra por meio da oração.

Uma das coisas que vemos na Palavra é que colhemos aquilo que plantamos. Essa é uma lei rigorosa do Universo. A única maneira de contornar essa regra é confessar e se arrepender das coisas ruins que plantamos. Mesmo assim, às vezes temos de colher a colheita ruim antes de colher a boa colheita plantada com boas sementes. Podemos apelar para a graça de Deus para que não recebamos o que merecemos, mas isso não pode ser manipulado. Deus decide.

A Bíblia diz:

> Não se deixem enganar: *de Deus não se zomba. Pois o que o homem semear, isso também colherá.* Quem semeia para a sua carne, da carne colherá destruição; mas quem semeia para o Espírito, do Espírito colherá a vida eterna.
>
> Gálatas 6.7-8

Quando oramos por pessoas ou situações, precisamos nos lembrar de que as dificuldades na vida delas podem ser o resultado de sementes ruins. Se estiverem arcando com as consequências disso, você deve orar para que os olhos delas sejam abertos a fim de que enxerguem a situação da perspectiva de Deus. Você não pode simplesmente orar para Deus consertar algo que não pode ser consertado sem que os olhos delas sejam abertos para a verdade. Elas precisam enxergar a necessidade de arrependimento para que possam receber o perdão do Senhor. Não podemos ignorar esse fato.

A verdade é que colhemos o que semeamos em oração, assim como em todas as outras coisas que fazemos na vida. Quando estamos plantando sementes de oração, não podemos encaixar Deus em nosso cronograma de colheita. Devemos simplesmente confiar na promessa de que *colheremos* aquilo que plantamos.

Recuse-se a sentir-se desmotivada quando não vir imediatamente os resultados que deseja. Você está no cronograma *de Deus*, e não ele em seu cronograma. Ele garante que você colherá bons frutos. Não disse quanto tempo levará. Se persistir na fé, plantando sementes em oração, com certeza colherá de acordo com o que plantou.

Em certos casos, talvez não vejamos a colheita das sementes da oração que plantamos durante a vida, mas, como nossas orações não morrem, o efeito delas continuará depois de termos sido chamadas para estar com o Senhor. Você se lembra das taças no céu que contêm as orações dos santos (Ap 5.8)? Isso mostra que, quando oramos, nossas orações não evaporam no ar. Deus não somente as ouve, como também os efeitos delas perduram. Não há uma data de validade para nossas orações. Você pode imaginar ouvir uma voz do céu dizendo: "Atenção: suas orações por seus relacionamentos no trabalho estão prestes a perder a validade"?

Toda vez que você ora, uma semente é plantada. A Bíblia diz sobre plantar e colher: "*Não nos cansemos de fazer o bem*, pois no tempo próprio colheremos, se não desanimarmos. Portanto, enquanto temos oportunidade, façamos o bem a todos, especialmente aos da família da fé" (Gl 6.9-10). Uma das coisas boas que podemos fazer é orar.

Quando você vê as coisas da perspectiva de Deus, sua vida como guerreira de oração nunca será um fardo. Você verá que é chamada e capacitada pelo Espírito Santo. À medida que convida o Espírito Santo a guiá-la, suas orações estarão sempre vivas. Sua vida de oração continuará a ser empolgante enquanto você sentir a presença do Espírito guiando-a. E você ficará maravilhada com a frequência com que Deus colocará a mesma coisa no coração de diferentes pessoas, e vocês serão como uma equipe montada por ele. Assim, quando se sentir a única pessoa orando por uma situação urgente, peça a Deus que desperte outras guerreiras de oração para que se juntem a você. Sei que ele o fará. Já ouvi o testemunho de muitas pessoas sobre isso. Eu também já fui despertada com um fardo que Deus pôs em meu coração e depois descobri que outras pessoas tiveram a mesma experiência.

Você se lembra da analogia com o futebol no capítulo 4? É uma forma de ver as coisas da perspectiva de Deus na oração. Você entra numa situação em oração, e Deus lhe mostra como chutar a bola para a direção oposta. Podemos fazer isso por outras pessoas. Podemos fazer isso uns pelos outros. Podemos fazer isso por nós mesmas. Quando uma situação ou pessoa está indo na direção errada, contra a vontade de Deus, ele lhe mostrará como orar para que a bola tome uma nova direção — a vitória para a glória de Deus.

É um trabalho de equipe. Talvez você esteja sozinha num lugar enquanto ora, mas muitos outros do time dos guerreiros e guerreiras de oração estão orando e vão impedir que o inimigo marque um gol.

Devemos orar para entender o propósito de Deus em tudo o que fizermos, incluindo a oração. Peça a Deus que lhe dê entendimento durante a leitura da Bíblia. Ore para que o Espírito Santo continue a iluminar sua compreensão. Peça a Deus que a ajude a entender o chamado dele para sua vida e lhe dê um vislumbre do que ele quer fazer. Você precisa disso. Se não pedir que o Senhor o ajude a ver as coisas da perspectiva *dele*, haverá vezes em que você talvez não entenda como orar.

Da perspectiva de Deus entendemos os últimos dias

Como serão os últimos dias? Veja se a carta de Paulo a Timóteo descreve algo que lhe parece familiar. Ela diz em 2Timóteo 3.1-5:

> Nos últimos dias sobrevirão tempos terríveis. Os homens serão egoístas, avarentos, presunçosos, arrogantes, blasfemos, desobedientes aos pais, ingratos, ímpios, sem amor pela família, irreconciliáveis, caluniadores, sem domínio próprio, cruéis, inimigos do bem, traidores, precipitados, soberbos, mais amantes dos prazeres do que amigos de Deus, tendo aparência de piedade, mas negando o seu poder. Afaste-se desses também.

Por essa perspectiva podemos duvidar que estamos nos últimos dias?

Paulo também diz que algumas pessoas "estão sempre aprendendo, e jamais conseguem chegar ao conhecimento da verdade" (2Tm 3.7). Essas pessoas fingem ser cristãs, mas negam o Espírito Santo — o poder de Deus — que *habita* em nós, nos *transforma* e *opera* por nosso intermédio. Elas negarão que Jesus ressuscitou dos mortos. Negarão que a Bíblia é a Palavra de Deus inspirada. Ouvi tudo isso durante um noticiário na semana passada.

Paulo disse que nos últimos dias as pessoas se recusarão a dar ouvidos à verdade. "Não suportarão a sã doutrina; ao contrário, sentindo coceira nos ouvidos, juntarão mestres para si mesmos, segundo os seus próprios desejos" (2Tm 4.3). Quando você vê esse tipo de impiedade florescendo ao seu redor, tem de saber que foi previsto.

Mas só porque foi previsto na Bíblia que os dias serão maus e que as pessoas farão coisas terríveis não quer dizer que não devemos orar. Precisamos continuar a orar por nossos filhos, nossa família e pelas pessoas que Deus põe em nosso coração. Devemos orar mais que nunca para que os cristãos sejam protegidos.

Você deverá continuar orando sempre conforme a orientação de Deus para que possa dizer como Paulo disse a Timóteo:

> *Combati o bom combate, terminei a corrida, guardei a fé.* Agora me está reservada a coroa da justiça, que o Senhor, justo Juiz, me dará naquele dia; e não somente a mim, mas também a todos os que amam a sua vinda.
>
> 2Timóteo 4.7-8

A guerreira de oração sempre combate o bom combate em oração. Mesmo quando as coisas se tornarem difíceis, lembre-se de que há uma "coroa da justiça" reservada para você no céu. Em Jesus você é completamente absolvida, e a justiça dele lhe é atribuída. O inimigo foi derrotado quando Jesus ressuscitou dos mortos, pois a morte e o inferno não puderam detê-lo.

Peça a Deus que lhe mostre a verdade sobre o que está acontecendo no mundo. Não apenas leia jornais ou assista aos noticiários, pois esses dizem somente o que *eles* querem que você saiba. *Nenhum* lhe dará o quadro completo. Somente Deus pode lhe mostrar, pois o quadro completo só pode ser visto da perspectiva *dele*. Ele conhece o início e o fim e todas as coisas entre os dois extremos.

A história mais impressionante da Bíblia sobre enxergar as coisas da perspectiva de Deus diz respeito ao profeta Eliseu e seu servo durante a guerra entre Israel e a Síria. Eliseu dava conselhos proféticos ao rei de Israel sobre como evitar as armadilhas que os sírios lhes tinham preparado. Quando o exército sírio descobriu que Eliseu estava contando ao rei de Israel seus planos secretos — pois Deus os revelava a Eliseu —, decidiram cercar a cidade para capturá-lo.

O servo de Eliseu se levantou certa manhã e viu o exército sírio cercando a cidade. Desesperado, perguntou a Eliseu o que deveriam fazer. O profeta estava calmo em meio ao cerco, pois podia ver o que estava acontecendo da perspectiva de Deus. O servo estava com medo porque não tinha essa visão.

Eliseu respondeu ao servo com estas palavras hoje famosas:

> "*Não tenha medo. Aqueles que estão conosco são mais numerosos do que eles*". E Eliseu orou: "Senhor, abre os olhos dele para que veja". Então o Senhor abriu os olhos do rapaz, que olhou e *viu as colinas cheias de cavalos e carros de fogo ao redor de Eliseu.*
>
> 2Reis 6.16-17

Quando os olhos do servo foram abertos e ele viu o que estava acontecendo no reino espiritual, sua visão mudou completamente.

Todas nós precisamos dessa visão do Senhor. Precisamos vê-la em sua Palavra, pois ela nos fortalece e nos encoraja, mas há também momentos específicos em que precisamos da revelação especial de Deus. Isso pode fazer toda a diferença. Quando você está numa luta intensa em oração, peça a Deus que lhe mostre o que está acontecendo da perspectiva dele. Ter uma perspectiva clara do Senhor permite que você veja com quem está lidando e como Deus quer que você ore.

Ore para que seus olhos sejam abertos para a verdade em *cada* situação e para que as estratégias do inimigo sejam reveladas. Ore para que você enxergue no interior do reino espiritual invisível. Queremos que nossos olhos espirituais sejam abertos quando oramos por pessoas ou situações. Quando algo ruim acontece, precisamos saber se é um ataque do inimigo ou o resultado de sementes corruptas plantadas na carne.

Quando o servo de Eliseu viu as colinas ao redor cheias de cavalos e carros de fogo, entendeu que ele e Eliseu não estavam sozinhos, pois os anjos do exército espiritual de Deus estavam lá para protegê-los.

O exército de anjos de Deus também nos protege.

Um anjo libertou Pedro da prisão (At 12). Um anjo revelou a Paulo que suas orações pela segurança de todos os que navegavam com ele durante a tempestade haviam sido respondidas (At 27.21-26). Anjos oferecem a Deus as orações de cristãos como você e eu.

> Outro anjo, que trazia um incensário de ouro, aproximou-se e se colocou de pé junto ao altar. A ele foi dado muito incenso para oferecer *com as orações de todos os santos* sobre o altar de ouro diante do trono. E da mão do anjo subiu diante de Deus a fumaça do incenso *com as orações dos santos.*
>
> Apocalipse 8.3-4

Não é maravilhoso?

Jesus comanda o exército dos anjos no céu e o exército dos cristãos na terra e os coordena para que o exército celeste ajude o exército terreno.

> A qual dos anjos Deus alguma vez disse: "Senta-te à minha direita, até que eu faça dos teus inimigos um estrado para os teus pés"? Os anjos não são, todos eles, *espíritos ministradores enviados para servir aqueles que hão de herdar a salvação?*
>
> Hebreus 1.13-14

Quando os guerreiros e guerreiras de oração oram, os anjos nos ajudam em nossa batalha contra o inimigo. Jesus disse: "Você acha que eu não posso pedir a meu Pai, e ele não colocaria imediatamente à minha disposição mais de *doze legiões de anjos*?" (Mt 26.53).

Não precisamos temer que Deus nos tenha deixado sozinhos aqui, lutando neste mundo. Nada poderia estar mais longe da verdade.

Da perspectiva de Deus enxergamos a coisa certa a ser feita

Noé ouviu a direção de Deus e fez algo que não fazia sentido nenhum de uma perspectiva terrena.

> Noé, *quando avisado a respeito de coisas que ainda não se viam*, movido por santo temor, construiu uma arca para salvar sua família. Por meio da fé ele condenou o mundo e tornou-se herdeiro da justiça que é segundo a fé.
>
> Hebreus 11.7

A prova de sua fé e de sua perspectiva divina foi o fato de ele ter construído a arca num lugar distante de qualquer corpo hídrico. Enxergar da perspectiva de Deus o ajudou a fazer o que precisava ser feito. Como resultado, sua própria vida, a vida de sua família e a de muitos animais foram salvas.

Quando Jesus falou com os discípulos sobre o que ia acontecer, disse: "Eles os entregarão para serem perseguidos e condenados à morte, e vocês serão odiados por todas as nações por minha causa" (Mt 24.9). Deve ter sido assustador ouvir isso, mas também deve ter ajudado os discípulos a enfrentar aqueles acontecimentos terríveis. Eles foram encorajados a fazer o que precisava ser feito.

É para essa direção que o mundo está indo. Os cristãos são perseguidos desde a crucificação de Jesus, e essa perseguição ficará cada vez pior. Para onde quer que olharmos, Jesus está sendo expulso e seu povo, ridicularizado e perseguido.

Olhe para o tempo em que vivemos. Ouça *os sentinelas em seus muros* (Is 62.6), homens e mulheres piedosos que enxergam o que está acontecendo em nosso país e em outras nações e oram com base nisso. O inimigo vence muitas batalhas dia e noite, e não podemos ficar de braços cruzados vendo isso acontecer. Somente Deus sabe quando Jesus retornará para buscar seu povo. E ele nos mandou permanecer firmes até o fim. Você nunca sabe a extensão do que Deus fará em resposta a suas orações. Vidas podem ser salvas em toda parte, em todos os aspectos possíveis.

Peça a Deus que lhe dê perspectiva quando você estiver orando por outras pessoas. Como ele quer que você ore? Como o Espírito Santo está guiando você?

Jeremias tinha orado a Deus por entendimento sobre uma situação. O território que Israel estava prestes a possuir ainda estava nas mãos do inimigo. Jeremias louvou a Deus e disse: "Ah! Soberano Senhor, tu fizeste os céus e a terra pelo teu grande poder e por teu braço estendido. *Nada é difícil demais para ti*" (Jr 32.17).

Deus disse a Jeremias que se clamasse a ele lhe seriam reveladas coisas grandiosas e insondáveis que ele não conhecia (Jr 33.3). Deus está dizendo a mesma coisa para nós hoje. Todas podemos clamar e lhe pedir que nos revele as coisas da perspectiva dele, e ele nos mostrará o que não podemos saber sem sua revelação. Devemos ter esse tipo de entendimento para obter vitória na batalha espiritual e em nossa vida. Sem a revelação do Senhor, não podemos orar com o poder e a eficácia de que precisamos em nossas orações.

Suas orações podem abrir portas para a salvação de alguém no reino de Deus, para toda a eternidade. Suas orações podem salvar inúmeras pessoas de sofrimentos e tragédias, incluindo você e sua família. Suas orações podem salvar vidas que seriam destruídas ou impedir que coisas terríveis planejadas pelo inimigo aconteçam. Se você pudesse impedir que pessoas boas passassem por sofrimentos horríveis, não oraria a esse respeito? É claro que sim. Você já teria parado de ler este livro se não acreditasse que a oração pode fazer a diferença — e, especificamente, que *suas* orações podem fazer a diferença — neste mundo.

Suas orações são vitais. Toda oração pode salvar vidas, mudar vidas, poupar vidas ou resgatar vidas.

Devemos ter a perspectiva de que nossa caminhada com Deus na terra é como uma corrida. O autor de Hebreus nos instrui:

> Livremo-nos de tudo o que nos atrapalha e do pecado que nos envolve, e corramos com perseverança a corrida que nos é proposta, *tendo os olhos fitos em Jesus, autor e consumador da nossa fé*. Ele, pela alegria que lhe fora proposta, suportou a cruz, desprezando a vergonha, e assentou-se à direita do trono de Deus.
>
> Hebreus 12.1-2

Devemos pensar no que Jesus suportou por nós para que nossa alma não desanimasse em vista das lutas que enfrentamos por ele aqui na terra.

Quando Deus levou o apóstolo João ao céu para ver coisas da perspectiva dele, João descreveu assim a experiência:

> Então ouvi uma forte voz dos céus que dizia: "Agora veio a salvação, o poder e o Reino do nosso Deus, e a autoridade do seu Cristo, pois *foi lançado fora o acusador dos nossos irmãos, que os acusa diante do nosso Deus, dia e noite. Eles o venceram pelo sangue do Cordeiro e pela palavra do testemunho que deram*; diante da morte, não amaram a própria vida".
>
> Apocalipse 12.10-11

Essa perspectiva transformou a visão de João e deve transformar a nossa também.

Jesus *nos chamou* "das trevas para a sua maravilhosa luz" (1Pe 2.9). Devemos viver "*de maneira digna da vocação*" que recebemos (Ef 4.1). Fomos escolhidos para prestar serviço especial ao Senhor e receberemos a bênção e o favor especiais de Deus. Devemos *crescer na pureza* (Ef 4.17-31) e no *perdão* (Ef 4.32). Devemos *andar na plenitude do Espírito Santo* (Ef 5.1-21). Estamos *capacitados* porque ele nos capacita (Ef 4.11-16).

Deus nos chamou das trevas para a sua maravilhosa luz porque somos *seu povo especial criado para o propósito de proclamar seu louvor*. Nós, cristãos, somos considerados santos. Isso quer dizer que nossa autoridade como crentes corresponde à nossa caminhada na pureza como povo especial que proclama seus louvores e adora ao Senhor. A adoração é absolutamente necessária para que o reino de Deus avance na terra.

Antes de sair para a batalha, o povo de Israel tinha de se purificar e lutar no campo espiritual por meio da adoração. O mesmo princípio se aplica a nós hoje. Fazemos coisas grandiosas para Deus e conquistamos território para seu reino à medida que crescemos na adoração a ele com humildade e sinceridade e andamos em seu caminho. E essa é a única maneira de ver as coisas da perspectiva de Deus.

O Senhor quer que caminhemos perto dele em oração. Quer que o adoremos e louvemos seu nome. Somos um sacerdócio real, o que significa que somos reis e sacerdotes (Ap 1.5-6). E não apenas caminhamos com ele em sua "maravilhosa luz", mas vamos para a guerra contra as forças das trevas com ele e por ele. Nós, cristãos, somos uma nação santa composta de todas as nações e raças de todos os que creem em Jesus. Somos "o povo exclusivo de Deus", a "geração eleita" (1Pe 2.9) para glorificá-lo, não importa onde estamos e para onde vamos. É uma honra e um privilégio.

Deus vê tudo o que você faz. Ele vê como você ora. Vê seu coração em favor dele e das outras pessoas. "*Deus não é injusto; ele não se esquecerá do trabalho de vocês e do amor* que demonstraram por ele, pois ajudaram os santos e continuam a ajudá-los" (Hb 6.10). Não devemos desanimar ao ver as coisas horríveis que acontecerão nos últimos dias. Devemos continuar orando como guerreiras fiéis de oração do exército de Deus.

> *Queremos que cada um de vocês mostre essa mesma prontidão até o fim*, para que tenham a plena certeza da esperança, de modo que vocês não se tornem negligentes, mas imitem aqueles que, por meio da fé e da paciência, recebem a herança prometida.
>
> Hebreus 6.11-12

> Graças a Deus, que nos dá a vitória por meio de nosso Senhor Jesus Cristo.
>
> 1Coríntios 15.57

Jesus conhece o inimigo. Ele entende a batalha. Porque ele venceu, nós também venceremos.

* * *

Oração para a guerreira de oração

Senhor, ajuda-me a pôr de lado todas as preocupações e todos os fardos que carrego em meu coração e a rejeitar qualquer tentação que procure me desviar daquilo que me chamaste para fazer, a fim de que eu termine a corrida que estabeleceste para mim. Mantém meus olhos fixos em ti o tempo todo. Obrigada por me salvares e me aperfeiçoares mediante o poder do teu Espírito. Convido-te a me conduzires todos os dias para que eu permaneça no caminho que preparaste para mim. Ajuda-me a ser um soldado bom e fiel em seu exército de santos que batalha em oração todos os dias e empunha a espada do Espírito — tua Palavra — como arma contra todos os planos do inimigo.

Assim como tu suportaste a cruz e o sofrimento pela alegria que te fora proposta e porque viste a glória colocada diante de ti à mão direita do Pai celestial, ajuda-me a enfrentar o que devo suportar pela alegria que me é proposta, sabendo que derrotaste o inimigo e que passarei a eternidade contigo. Obrigada pela alegria de saber que somos vencedores porque venceste a morte e o inferno.

Senhor, obrigada por seres o Deus da segunda chance e por me dares uma segunda oportunidade para fazer algo grandioso por ti. Independentemente do que fiz ou do que aconteceu em meu passado, ainda me usarás para teus propósitos porque entreguei minha vida a ti em todos os aspectos. Obrigada porque me permites recomeçar. Submeto as vida a ti mais uma vez. Ajuda-me a jamais resolver as coisas com as próprias mãos, mas a buscar tua direção.

Capacita-me a ver as coisas da tua perspectiva para que eu sempre saiba como orar e o que fazer. Ajuda-me também a enxergar este mundo atual — que à luz de tua Palavra parece estar se aproximando dos últimos dias — de modo que eu saiba como orar. Não quero jamais ser uma pessoa que está "sempre aprendendo, e jamais consegue chegar ao conhecimento da verdade" (2Tm 3.7). Não quero nunca negar o poder de teu Espírito Santo em mim, como tua Palavra diz que muitos o farão nos últimos dias. Não permitas que eu me recuse a dar ouvidos à verdade (2Tm 4.4). Quero poder dizer que "combati o bom combate, terminei a corrida, guardei a fé" e que "agora me está reservada a coroa da justiça", que o Senhor dará não apenas a mim, mas a todos os que te amam no dia em que vieres nos buscar (2Tm 4.7-8).

Por tua causa, Senhor, "nos gloriamos nas tribulações, porque sabemos que a tribulação produz perseverança; a perseverança, um caráter aprovado; e o caráter aprovado, esperança" (Rm 5.3-4). Sei que nunca me decepcionarei ao depositar minha esperança em ti porque teu amor foi derramado em meu coração pelo Espírito Santo em mim, que é a garantia de meu grande futuro contigo (Rm 5.3-5).

Oro em nome de Jesus.

Clame a mim e eu responderei e lhe direi coisas grandiosas
e insondáveis que você não conhece.

Jeremias 33.3

12
Faça as orações que toda guerreira de oração precisa conhecer

Ler sobre a oração é bom. Falar sobre a oração é ótimo. Mas nada acontecerá se não orarmos. Precisamos orar todos os dias sobre tudo que deve ser abrangido. E, uma vez que a fonte de nosso poder em oração é o Senhor, se não passarmos tempo com ele em oração, perdemos o poder. E não podemos nos dar a esse luxo com um inimigo tão assustador se opondo a tudo o que Deus quer fazer *em* nós, *por meio de* nós e ao nosso *redor*.

Os capítulos anteriores discorreram sobre como *tornar-se* uma forte guerreira de oração. Neste último capítulo, você encontrará orações importantes para sua vida, para a vida das pessoas por quem você ora e para promover o avanço do reino de Deus na terra. Isso não significa que você tenha de orar todas elas diariamente. De jeito nenhum. Você pode escolher uma por dia ou uma por semana. Faça essas orações à medida que sentir a direção do Espírito Santo. Ele lhe mostrará sobre o que orar quando você perguntar-lhe.

Em cada oração, a espada do Espírito aparece em destaque para trazer máxima proteção e poder. Isso a ajudará a resistir à influência do inimigo em *sua* vida e na vida dos *outros*. Cada oração influenciará as pessoas e as situações ao seu redor para o benefício de todos, impedindo o sucesso dos planos do inimigo, ajudando você e outros a permanecer firmes na batalha quando as coisas estiverem abaladas e realizando a vontade de Deus. É um ótimo retorno para tão pouco investimento de tempo.

As vinte principais áreas de enfoque das orações incluídas aqui são as que o inimigo costuma usar para o ataque. Com certeza você pensará em áreas adicionais. Por isso, enquanto estiver orando, tenha um bloco de notas e uma caneta em mãos para anotar o que Deus falar a seu coração. Não precisa ser nada elaborado. Apenas um lembrete de como o Espírito Santo está direcionando você a orar. Não é preciso orar por todas as coisas diariamente. Isso seria excessivo, e a oração não é um fardo. Você deve simplesmente orar por si mesma, por sua família e por pessoas e situações que Deus põe em seu coração.

Deixe suas orações serem suscitadas por seu amor a Deus e por sua prontidão para servir-lhe. Responda ao chamado para ser uma guerreira de oração, a fim de ver a vontade do Senhor realizada na terra. O Espírito Santo a conduzirá, por isso mantenha-se em contato com ele. Convide-o a guiar seu coração, sua mente e seu espírito a respeito de *quando* orar, *como* orar e *o que* orar. E quando ele lhe trouxer à mente alguém, um grupo de pessoas ou um conjunto de circunstâncias, verifique essas orações para ver se alguma delas é um bom ponto de início.

Há tremendo poder nas orações da guerreira de oração, e Paulo nos instrui: "Nunca se cansem de fazer o bem" (2Ts 3.13). Muitas vezes, a melhor coisa que você pode fazer é orar e *continuar* a orar, mesmo se não houver respostas imediatas. Orar como guerreira de oração de Deus é uma forma excelente de chegar ao fim da vida sabendo que combateu o bom combate e cumpriu seu chamado. Você não precisa saber como cada oração é respondida; precisa somente acreditar que Deus ouviu todas elas e responderá de acordo com o tempo e a vontade dele.

Simplesmente ore. E confie em Deus para todo o resto.

É o que fazem as guerreiras de oração.

Orações poderosas para a batalha espiritual

1. Oração por proteção

Senhor, peço-te que cubras minha família e a mim com tua proteção. Cerca-nos de teus anjos para nos guardar do perigo, de acidentes, de enfermidades e de quaisquer planos do inimigo para nos prejudicar. Tu és minha força e meu escudo e em ti confio (Sl 28.7). Obrigada por protegeres minha saída e minha entrada desde agora e para sempre (Sl 121.8). "Tu és o meu abrigo e o meu escudo; e na tua palavra coloquei a minha esperança" (Sl 119.114). Obrigada, "pois tu, Senhor, abençoas o justo; o teu favor o protege como um escudo" (Sl 5.12). Obrigada porque no dia da adversidade tu me esconderás do inimigo num lugar secreto e me porás "em segurança sobre um rochedo" (Sl 27.5).

Senhor, tua Palavra diz que "aquele que habita no abrigo do Altíssimo e descansa à sombra do Todo-poderoso pode dizer ao Senhor: 'Tu és o meu refúgio e a minha fortaleza, o meu Deus, em quem confio'" (Sl 91.1-2).

Oro para que também protejas [nome da pessoa em seu coração que necessita de proteção divina]. Guarda essa pessoa dos violentos. Onde quer que o inimigo tenha preparado uma armadilha, oro para que a livres das ciladas armadas contra ela (Sl 140.4-6). Obrigada, pois o Senhor a livrará "do laço do caçador e do veneno mortal" (Sl 91.3). Obrigada por cobrires essa pessoa para que ela encontre refúgio sob tuas asas e porque tua fidelidade será seu escudo protetor (Sl 91.3-4).

Eu te agradeço, Senhor, pois és nosso "refúgio em tempos de angústia" (Na 1.7). És abrigo para todos que se refugiam em ti. Ajuda-nos a sempre lembrar que és "nosso refúgio e a nossa fortaleza, auxílio sempre presente na adversidade" (Sl 46.1).

Oro em nome de Jesus.

Você não temerá o pavor da noite, nem a flecha que voa de dia, nem a peste que se move sorrateira nas trevas, nem a praga que devasta ao meio-dia. Mil poderão cair ao seu lado, dez mil à sua direita, mas nada o atingirá. Você simplesmente olhará, e verá o castigo dos ímpios.

SALMOS 91.5-8

2. ORAÇÃO POR LIVRAMENTO

Senhor, sei que o mal está em toda parte, mas disseste que livras todos os que em ti buscam refúgio. Ajuda-me a encontrar refúgio em ti. Peço o mesmo por [nome da pessoa em seu coração que necessita de proteção ou livramento]. Obrigada por enviares anjos para nos livrar dos planos do Maligno. Senhor Jesus, tu disseste que "quem pratica o mal odeia a luz e não se aproxima da luz, temendo que as suas obras sejam manifestas. Mas quem pratica a verdade vem para a luz, para que se veja claramente que as suas obras são realizadas por intermédio de Deus" (Jo 3.20-21). Ajuda essa pessoa a se afastar do mal e a fazer o bem (1Pe 3.11). Onde o mal tem nos perseguido, oro para que frustres todas as tentativas do inimigo de erguer qualquer tipo de fortaleza ou armar qualquer tipo de cilada. Ajuda-nos a odiar o que é mal e a nos apegar ao que é bom (Rm 12.9).

Ajuda essa pessoa a ser sábia em relação ao que é bom e sem malícia em relação ao que é mau (Rm 16.19) e a se afastar de toda forma de mal (1Ts 5.22). Tua Palavra diz: "Feliz é o homem que persevera na provação, porque depois de aprovado receberá a coroa da vida que Deus prometeu aos que o amam" (Tg 1.12). Capacita essa pessoa a resistir a toda tentação do inimigo para desobedecer a ti e fazer o que não deve ser feito. Livra-a da atração do inimigo em todos os aspectos.

Obrigada, Senhor, porque és fiel para nos fortalecer e nos guardar do Maligno (2Ts 3.3). Mostra-nos todas as maneiras como temos convidado o inimigo a entrar quando deixamos de viver de acordo com a tua vontade. Obrigada, Jesus, pois tu és o Libertador que veio para nos livrar da morte e do inferno. Querido Senhor, livra-nos de todo mal hoje e sempre.

Oro em nome de Jesus.

Se você fizer do Altíssimo o seu abrigo, do Senhor o seu refúgio, nenhum mal o atingirá, desgraça alguma chegará à sua tenda. Porque a seus anjos ele dará ordens a seu respeito, para que o protejam em todos os seus caminhos; com as mãos eles o segurarão, para que você não tropece em alguma pedra.

Salmos 91.9-12

3. Oração por cura

Senhor, obrigada porque és o Deus que cura. Obrigada, Jesus, porque tomaste sobre ti as nossas enfermidades e sobre ti levaste as nossas doenças, porque foste transpassado por causa de nossas transgressões e esmagado por causa de nossas iniquidades, e pelas tuas feridas, Jesus, fomos curados (Is 53.4-5). Pela autoridade concedida a mim em nome de Jesus, oro pela cura de [nome da pessoa que precisa de cura]. Oro para que nenhum plano do inimigo para a destruição dessa pessoa seja colocado em prática. Traze cura para todas as partes do corpo dessa pessoa.

Oro especificamente por [nome da parte do corpo que necessita de cura]. Faze o corpo dessa pessoa funcionar da maneira que tu o criaste, de modo que cada órgão seja purificado de tudo aquilo que não deve estar ali. Concede a essa pessoa sabedoria em relação à dieta alimentar, aos medicamentos a serem tomados, ao tratamento médico e ao que fazer para manter-se saudável. Em nome de Jesus, resisto a todos os planos do inimigo para infligir enfermidade ou doença de qualquer tipo a essa pessoa.

Senhor, tua Palavra nos instrui: "Confessem os seus pecados uns aos outros e orem uns pelos outros para serem curados. A oração de um justo é poderosa e eficaz" (Tg 5.16). Revela-nos as áreas onde há necessidade de confissão de pecados para que possamos nos arrepender. Sei que "o coração bem disposto é remédio eficiente, mas o espírito oprimido resseca os ossos" (Pv 17.22). Mostra-nos onde a opressão e a falta de disposição têm impedido a cura. Não importa se essa enfermidade é curada instantaneamente ou requer um período de convalescença, glorificamos a ti como nosso Criador e Curador.

"Senhor meu Deus, a ti clamei por socorro, e tu me curaste" (Sl 30.2). Obrigada, porque tu salvas aqueles que te clamam na aflição e na tribulação, curando-os e livrando-os da morte (Sl 107.19-20). Em favor de [nome da pessoa por quem você está orando], suplico: "Cura-me, Senhor, e serei curado; salva-me, e serei salvo" (Jr 17.14).

Senhor, tua Palavra diz: "Entre vocês há alguém que está sofrendo? Que ele ore. Há alguém que se sente feliz? Que ele cante louvores. Entre vocês há alguém que está doente? Que ele mande chamar os presbíteros da igreja, para que estes orem sobre ele e o unjam com óleo, em nome do Senhor. *A oração feita com fé curará o doente; o Senhor o levantará*" (Tg 5.13-15). Ajuda-nos a fazer a oração da fé. Ajuda-nos a confessar nossos pecados uns aos outros e orar uns pelos outros, a fim de sermos curados (Tg 5.16).

Oro em nome de Jesus.

Bendiga o Senhor a minha alma! Bendiga o Senhor todo o meu ser!
Bendiga o Senhor a minha alma! Não esqueça nenhuma de suas bênçãos!
É ele que perdoa todos os seus pecados e cura todas as suas doenças, que resgata a sua vida da sepultura e o coroa de bondade e compaixão.

Salmos 103.1-4

4. Oração por orientação e discernimento

Senhor, tua Palavra nos diz que devemos buscar teu reino em primeiro lugar (Mt 6.33). "Se algum de vocês tem falta de sabedoria, peça-a a Deus, que a todos dá livremente, de boa vontade; e lhe será concedida. Peça-a, porém, com fé, sem duvidar, pois aquele que duvida é semelhante à onda do mar, levada e agitada pelo vento" (Tg 1.5-6). Senhor, eu te peço sabedoria e te agradeço porque me darás sabedoria abundante. Recuso-me a duvidar de tua Palavra e de tuas promessas para mim, por isso te peço com fé e sem duvidar. Ajuda-me a permanecer firme em tua Palavra.

Hoje preciso de sabedoria especificamente para [cite sua maior necessidade por orientação e discernimento no momento]. A confiança que tenho em ti é que tu me ouves sempre que peço algo de acordo com tua vontade (1Jo 5.14). Coloco diante de ti preocupações, problemas, sonhos, necessidades, medos e desejos e peço que me ajudes a orar de acordo com a tua vontade. Mostra-me como orar especificamente a respeito disso e o que fazer. Jesus, tu disseste: "Se vocês permanecerem em mim, e as minhas palavras permanecerem em vocês, pedirão o que quiserem, e lhes será concedido" (Jo 15.7). Ajuda-me a permanecer em ti e em tua Palavra. Obrigada por me ouvires e me responderes. Coloco todas as minhas preocupações sobre ti e as deixo em tuas mãos, sabendo que não queres que eu carregue esse peso.

Oro por [nome da pessoa que necessita de sabedoria e discernimento]. Ajuda essa pessoa a tomar decisões sábias e concede-lhe o discernimento de que ela precisa para viver com segurança neste mundo. Não permitas que ela seja sábia a seus próprios olhos, mas, sim, que ela tema a ti e evite o mal (Pv 3.7), conforme tua Palavra nos instrui. Obrigada porque "todo o que pede, recebe; o que busca, encontra; e àquele que bate, a porta será aberta" (Lc 11.10). Concede a essa pessoa sabedoria a respeito daquilo que ela está buscando, para que possa buscar tua vontade. Abre a porta para o que está de acordo com tua vontade e fecha a porta para o que não está.

Tu disseste: "Deleite-se no SENHOR, e ele atenderá aos desejos do seu coração" (Sl 37.4). Meu maior prazer é conhecer-te. *Peço* a tua orientação, *busco* conhecer a tua vontade e *bato* na porta de tua misericórdia, confessando que não posso viver sem ti (Lc 11.9). Obrigada porque tu recompensas aqueles que buscam teu reino em primeiro lugar e colocam seus fardos sobre ti. Alinho-me a ti, Senhor, e peço que me ajudes a orar conforme a orientação de teu Espírito

— por mim e por outras pessoas. Obrigada porque ouves minha oração e responderás a ela.

Oro em nome de Jesus.

Não deixo de dar graças por vocês, mencionando-os em minhas orações. Peço que o Deus de nosso Senhor Jesus Cristo, o glorioso Pai, lhes dê espírito de sabedoria e de revelação, no pleno conhecimento dele. Oro também para que os olhos do coração de vocês sejam iluminados.

Efésios 1.16-18

5. Oração por provisão

Senhor, sei que o inimigo pode usar nossas finanças como ponto de ataque, por isso quero cobri-las em oração. Submeto a ti minha vida, minhas finanças e tudo o que tenho. Obrigada por todas as bênçãos que me deste. Ajuda-me a glorificar a ti em tudo o que faço e com tudo o que tenho. Sei que tudo o que é bom vem de ti. Ajuda-me a te agradar em todas as minhas transações financeiras — pagamentos, doações, compras, gastos.

Tua Palavra diz que "a bênção do Senhor traz riqueza, e não inclui dor algum" (Pv 10.22). Oro para que o inimigo não roube de mim nem de minha família. Ajuda-nos a ser bons despenseiros daquilo que nos deste. Nos aspectos em que me tem faltado sabedoria, orienta-me, Senhor. Ensina-me a doar da forma que queres que eu o faça, a fim de que ao fazê-lo eu repreenda o devorador que vem roubar aquilo que tenho. Resisto ao inimigo, que quer nos privar daquilo que tu nos tens reservado. Ajuda-me a tomar decisões financeiras sábias com base na orientação do teu Espírito.

Oro por [nome da pessoa que necessita de provisão]. Satisfaze todas as necessidades dela. Ajuda essa pessoa a aprender a te buscar para tudo. Tua Palavra diz: "Onde estiver o seu tesouro, aí também estará o seu coração" (Mt 6.21). Oro para que o coração dela esteja diante de ti em relação às finanças. Obrigada, Senhor, porque suprirás todas as necessidades dessa pessoa, de acordo com as tuas gloriosas riquezas (Fp 4.19). Ensina essa pessoa a ser grata por tua provisão. Tu disseste: "Deem, e lhes será dado: uma boa medida, calcada, sacudida e transbordante será dada a vocês. Pois a medida que usarem, também será usada para medir vocês" (Lc 6.38). Ajude essa pessoa a ser generosa e a doar para ti e para os outros da forma que te agrade. E ajuda-me a fazer o mesmo.

Ajuda-nos a confiar em ti, e não no dinheiro ou em bens. Ajuda-nos a ser generosas e a estar prontas para repartir (1Tm 6.18). Ajuda-nos a acumular "um firme fundamento para a era que há de vir" (1Tm 6.19). Ensina-nos a ser sábias a respeito de tudo o que nos dás. Obrigada porque sempre supres nossas necessidades quando te buscamos e andamos em teu caminho.

Oro em nome de Jesus.

Sua satisfação está na lei do Senhor, e nessa lei medita dia e noite. É como árvore plantada à beira de águas correntes: Dá fruto no tempo certo e suas folhas não murcham. Tudo o que ele faz prospera!

Salmos 1.2-3

6. Oração por vitória sobre o inimigo

Senhor, obrigada porque "com o teu auxílio posso atacar uma tropa; com o meu Deus posso transpor muralhas" (Sl 18.29). Sei que "os ímpios tramam contra os justos", mas o Senhor "ri dos ímpios, pois sabe que o dia deles está chegando" (Sl 37.12-13). Obrigada porque "aqueles que se opõem ao Senhor serão despedaçados. Ele trovejará do céu contra eles" (1Sm 2.10). "Então triunfarei sobre os inimigos que me cercam" e "cantarei e louvarei ao Senhor" (Sl 27.6).

Eu te louvo em meio a adversidades e desafios, sabendo que tu farás algo grandioso em mim e na situação em que me encontro. "O inimigo se gloriava: 'Eu os perseguirei e os alcançarei [...]. Com a espada na mão, eu os destruirei'" (Êx 15.9). Mas eu digo: "Não se alegre a minha inimiga com a minha desgraça. Embora eu tenha caído, eu me levantarei. Embora eu esteja morando nas trevas, o Senhor será a minha luz" (Mq 7.8). "Guarda-me das armadilhas que prepararam contra mim, das ciladas dos que praticam o mal. Caiam os ímpios em sua própria rede, enquanto eu escapo ileso" (Sl 141.9-10). "Seja o meu coração íntegro para com os teus decretos, para que eu não seja humilhado" (Sl 119.80).

Revela-me qualquer área por onde o inimigo possa entrar em mim, em minha família ou em qualquer pessoa que esteja sendo atacada pelo inimigo e por quem devo orar. Oro por [nome da pessoa que necessita de vitória sobre algum problema]. Revela-nos a atuação do inimigo em nossa vida. Onde há caso após caso de enfermidade, acidentes ou crises, mostra-nos onde o inimigo procura nos enfraquecer. Oro para que o inimigo não tenha sucesso em controlar nenhuma área de nossa vida.

Senhor, se algum de nós estiver *permitindo* que o inimigo entre em nossa vida, revela isso a nós. Mostra-nos qualquer coisa que não esteja certa em nós e que possa dar oportunidade para o inimigo atacar. Sei que "quem procede com integridade viverá seguro, mas quem procede com perversidade de repente cairá" (Pv 28.18). Revela-nos como temos permitido pensamentos ou atos que não estão de acordo com tua vontade. Queremos nos arrepender disso e pôr fim à intrusão do inimigo em nossa vida.

Senhor, teremos a vitória, pois tu pisotearás os nossos adversários (Sl 60.12). "O teu braço é poderoso; a tua mão é forte, exaltada é tua mão direita" (Sl 89.13). "Senhor, a tua mão direita foi majestosa em poder. Senhor, a tua mão direita despedaçou o inimigo" (Êx 15.6). Obrigada porque tua misericórdia nos dará vitória sobre o inimigo em todos os ataques que ele lançar contra nossa vida.

Oro em nome de Jesus.

Mas não se detenham! Persigam os inimigos. Ataquem-nos pela retaguarda e não os deixem chegar às suas cidades, pois o Senhor, o seu Deus, os entregou em suas mãos.

Josué 10.19

7. Oração por crianças

Senhor, oro pela proteção de cada criança em minha família e de todas as crianças que conheço. Em especial te peço por [nome das crianças em seu coração]. Não permitas que o inimigo ganhe nenhum território na vida dessas crianças. Traze-as para perto de ti para que elas te recebam como Salvador antes que o inimigo erga qualquer fortaleza na vida delas. Para aquelas que já te receberam, permite que esse ato se materialize na vida delas. Traze-as para teu reino para que possam rejeitar todo aspecto do inimigo e das trevas, principalmente à medida que se tornam adultos.

Silencia a voz do inimigo de modo que essas crianças possam ouvir tua voz. Guarda-as de toda confusão e dos planos do inimigo. Capacita-as a pensar com clareza e a fazer escolhas acertadas. Onde o inimigo já ganhou território na vida delas, oro para que intervenhas e exponhas as mentiras e as táticas dele. Dá-me sabedoria para orar pelas crianças que puseste em meu coração.

Senhor, clamo o coração de [nome de outras crianças que necessitam de oração] para teu reino. Direciona o coração de cada criança para ti. Peço-te que nenhuma delas seja perdida. Protege-as do mal. Esconde-as dos ímpios que tentam privá-las de tudo o que reservaste para elas e destruí-las. Oro para que teu caráter seja formado em cada criança. Tua Palavra diz que os justos serão poupados (Pv 11.21). Oro para que essas crianças sejam ensinadas por ti e para que grande seja a paz delas (Is 54.13).

Concede a essas crianças a capacidade de distinguir entre o bem e o mal. Grava tuas leis no coração delas. Oro para que honrem seus pais, que tudo lhes corra bem e tenham longa vida sobre a terra, conforme prometeste em teus mandamentos (Ef 6.1-3). Traze influências e amigos piedosos à vida de cada uma delas. Concede-lhes discernimento em relação às pessoas. Traze de volta todas as crianças que se desviaram de teus caminhos. Em particular, oro por [nome da criança]. Obrigada por tua Palavra para pais cujos filhos se rebelaram, que diz: "'Contenha o seu choro e as suas lágrimas, pois o seu sofrimento será recompensado', declara o Senhor. 'Eles voltarão da terra do inimigo'" (Jr 31.16). Obrigada porque nossa obra de oração e intercessão será recompensada. Obrigada porque tua promessa para nós é: "Creia no Senhor Jesus, e *serão salvos, você e os de sua casa*" (At 16.31). Clamo essas crianças para teu reino, Senhor, e nenhum plano do inimigo pode cancelar isso.

Oro em nome de Jesus.

"Por isso há esperança para o seu futuro", declara o Senhor.
"Seus filhos voltarão para a sua pátria".

Jeremias 31.17

8. Oração por segurança e para pôr fim à violência

Senhor, oro por um lugar seguro onde morar. Se o local onde moro não for seguro, peço-te que o tornes seguro ou que faças surgir outro local de habitação que seja seguro. Se o lugar onde moro for seguro, oro para que o mantenhas sempre assim. Guarda minha casa. Cerca-a de anjos e afasta todo mal.

Oro pela extinção de todo crime no bairro, na comunidade e na cidade onde moro. Em especial oro pela segurança de [nome de pessoas que estão ou podem estar em perigo]. Mantém o inimigo longe dessa área e, caso outras pessoas o tenham convidado a entrar por meio de escolhas ruins, do orgulho, da arrogância e de intenções, práticas e desejos malignos, oro para que teu Espírito as convença do pecado. Se elas se recusarem a se arrepender, oro para que faças que elas sejam pegas em suas próprias armadilhas. Expõe aqueles que planejam fazer o mal *antes* de terem chance de cometer seus crimes. Oro para que criminosos sejam afastados da sociedade a fim de que não possam mais prejudicar os outros.

Põe fim à violência em [nome de um lugar ou região onde a violência ou o crime prevalece]. Clamo a ti em nome das pessoas, "porque a terra está cheia de sangue derramado e a cidade está cheia de violência" (Ez 7.23). Oro para que tua justiça e tua benevolência reinem sobre elas. Oro para que não se ouça mais falar em violência nesse lugar. Em relação àqueles que têm intenções malignas ou que praticam atos cruéis contra alguma pessoa que vive ali, oro para que teu Espírito os convença do pecado. E se o coração deles estiver fechado para ti e não consigam ouvir a verdade, se "o orgulho lhes serve de colar" e eles "se vestem de violência" (Sl 73.6), se "não conseguem dormir enquanto não fazem o mal; perdem o sono se não causarem a ruína de alguém" e se eles "se alimentam de maldade, e se embriagam de violência" (Pv 4.16-17), oro para que o mal se volte contra eles mesmos. Tu disseste que "a violência dos ímpios os arrastará, pois recusam-se a agir corretamente" (Pv 21.7). Faze cair aqueles que incitam a violência contra teu povo.

Obrigada porque tu "me livraste dos meus inimigos; sim, fizeste-me triunfar sobre os meus agressores, e de homens violentos me libertaste" (Sl 18.48). "Ó Soberano Senhor, meu salvador poderoso, tu me proteges a cabeça no dia da batalha" (Sl 140.7). És "a minha rocha, em que me refugio; o meu escudo e o meu poderoso salvador. [És] a minha torre alta, o meu abrigo seguro. Tu, Senhor, és o meu salvador, e me salva dos violentos" (2Sm 22.3). Obrigada porque "em paz me deito e logo adormeço, pois só tu, Senhor, me fazes viver em segurança" (Sl 4.8).

Oro em nome de Jesus.

Passada a tempestade, o ímpio já não existe,
mas o justo permanece firme para sempre.
Provérbios 10.25

9. Oração para pôr fim à confusão

Senhor, tu não és "de confusão, e sim de paz" (1Co 14.33, RA). Onde a confusão reina, sei que o inimigo opera e está no comando. Oro para que não haja confusão em mim, em minha família, em meus relacionamentos, em minha igreja e em meu trabalho. Oro por clareza e resisto ao inimigo que tenta entrar com confusão. Oro para que, em vez disso, tua paz reine nessas áreas. Submeto-me a ti, Senhor, pois tua Palavra diz que nos deste equilíbrio (2Tm 1.7). Obrigada pelo equilíbrio que prometeste àqueles que te amam.

Oro para que ponhas fim a toda confusão não apenas em minha mente, mas também na mente de minha família, de meus amigos e de pessoas que têm sido vítimas das táticas de confusão do inimigo. Oro para que ponhas fim à confusão na vida de [nome da pessoa em cuja vida reina a confusão]. Ajuda essa pessoa a levar cativo todo pensamento, para torná-lo obediente a Cristo (2Co 10.5). Faze que ela resista ao inimigo recusando-se a manter pensamentos que não são de ti. Oro para que a verdade seja revelada a todos os envolvidos em situações nas quais o inimigo trouxe confusão. Permite que a culpa seja colocada sobre o inimigo, onde ela pertence. Obrigada porque não és o autor da confusão; o inimigo é. Resisto a toda confusão do inimigo em nome dessa pessoa. Concede-lhe teu equilíbrio.

Tua Palavra diz que "a língua é um fogo; é um mundo de iniquidade. Colocada entre os membros do nosso corpo, contamina a pessoa por inteiro, incendeia todo o curso de sua vida, sendo ela mesma incendiada pelo inferno" (Tg 3.6). Onde a fofoca trouxe confusão, expõe as obras das trevas ao brilho da tua luz e faze-as evaporar. Coloco diante de ti [cite uma situação específica em que houve confusão por meio de palavras ditas de maneira errada]. Que tua verdade possa operar. Para as pessoas que estão tentando causar confusão, oro para que lhes dês "um vinho estonteante" (Sl 60.3). Concede clareza total a todas as pessoas envolvidas, assim como uma perspectiva adequada. Abre os olhos cegos. Traze revelação e entendimento para onde houver confusão.

Nos casos em que o inimigo trouxe confusão para outras partes do mundo ou para certos grupos de pessoas, oro para que a clareza de tua verdade prevaleça. Em especial oro por [cite grupos de pessoas, governos ou organizações em que reina a confusão]. Subverte os operários da confusão e muda o pensamento errado deles. Silencia aqueles cujas mentiras têm levado pessoas a serem incapazes de distinguir entre a verdade e a mentira. Que tua verdade — a verdade de tua Palavra — venha à tona e reine no coração das pessoas.

Oro em nome de Jesus.

Sejam humilhados e frustrados os que procuram tirar-me a vida; retrocedam desprezados os que desejam a minha ruína.

Salmos 70.2

10. Oração por livramento de tormentos do inimigo

Senhor, torna-me ciente de qualquer pessoa que esteja sob ataque do inimigo e ajuda-me a interceder por ela, assim como tu, Jesus, intercedes por nós. Oro por [nome da pessoa que está sendo atormentada pelo inimigo] e peço que abençoes essa pessoa hoje. Enche-a do pleno conhecimento da tua vontade. Concede-lhe "toda a sabedoria e entendimento espiritual" para que ela possa viver de maneira digna de ti, agradando-te em todas as coisas, frutificando em toda boa obra e crescendo em teu conhecimento (Cl 1.9-10). Fortalece essa pessoa com teu poder. Dá-lhe perseverança e paciência (Cl 1.11). Faze que ela viva de maneira digna de ser teu (tua) filho(a). Oro para que ela comprometa-se contigo e com tua vontade. Dá-lhe o desejo de agradar a ti, de ser grata a ti e de crescer em teu conhecimento todos os dias.

Quando alguém estiver sendo atormentado ou enganado pelo inimigo, oro para que abras os olhos dessa pessoa para a verdade. Revela-te a essa pessoa, assim como teus planos para a vida dela e as estratégias do inimigo contra ela. Permite que essa pessoa faça escolhas que são certas a teus olhos.

Senhor, oro para que derrames teu Espírito sobre [nome da pessoa ou do grupo de pessoas que necessitam de derramamento do Espírito na vida delas]. Faze essa pessoa experimentar reavivamento espiritual e sentir tua presença na vida dela. Oro para que os olhos dela sejam abertos para tua verdade e para tudo o que queres lhe revelar. Liberta-a de toda opressão e de tudo aquilo que a esteja impedindo de tomar posse do que reservaste a ela. Dá-lhe força para sempre resistir ao inimigo. Ajuda-a a ser tudo o que a chamas para ser e a tomar posse de tudo o que lhe preparaste.

Senhor, livra-nos das garras do inimigo. Há liberdade em tua presença, por isso ajuda-nos a permanecer perto de ti. Obrigada, Jesus, porque entregaste a ti mesmo por nossos pecados "a fim de nos resgatar desta presente era perversa, segundo a vontade de nosso Deus e Pai" (Gl 1.4). Senhor, tu disseste: "Clame a mim no dia da angústia; eu o livrarei, e você me honrará" (Sl 50.15). Livra-nos "de toda obra maligna" (2Tm 4.18).

Oro em nome de Jesus.

As armas com as quais lutamos não são humanas; pelo contrário, são poderosas em Deus para destruir fortalezas. Destruímos argumentos e toda pretensão que se levanta contra o conhecimento de Deus, e levamos cativo todo pensamento, para torná-lo obediente a Cristo.

2Coríntios 10.4-5

11. Oração por líderes e autoridades

Senhor, oro em primeiro lugar para que protejas os pastores cristãos e os líderes de minha igreja e de todas as igrejas que creem na Bíblia. Em especial oro por [nome de líderes cristãos que lhe veem à mente]. Capacita-os a serem uma força para o bem na comunidade em que atuam. Ajuda-os a sempre te ouvirem com clareza. Guarda-os de planos malignos, pois sei que eles e suas famílias são os alvos prediletos do inimigo.

Abençoa minha igreja e outras igrejas que conheço, incluindo [cite sua igreja e outras igrejas que estejam em seu coração neste momento]. Não permitas que tenham "aparência de piedade, mas negando o seu poder" (2Tm 3.5), nem que sejam pessoas que deixem de convidar teu Espírito Santo para operar nelas e por meio delas. Ajuda-as a andar em teus caminhos e a seguir a orientação do apóstolo Paulo: "Orem no Espírito em todas as ocasiões, com toda oração e súplica; tendo isso em mente, estejam atentos e perseverem na oração por todos os santos" (Ef 6.18).

Oro para que, se houver algum erro na liderança de alguma igreja, que o reveles a fim de que os líderes sejam corrigidos. Que eles recebam tua correção com arrependimento e um coração dedicado a teu serviço.

Ajuda-nos a continuar unidos e em paz, servindo somente a ti, e não a nós mesmos. Ensina-nos a crescer juntos como família espiritual sem excluir ninguém. Tua Palavra fala bastante sobre a unidade de teu povo, e oro por isso agora. Guarda-nos, o corpo de Cristo, de desavenças e divisões de origem satânica. Ajuda-nos a permanecer firmes na unidade para a qual nos chamaste.

Senhor, oro por todas as autoridades municipais, estaduais e federais, para que sejam servos honestos do povo. Oro para que toda corrupção seja exposta e que todos os líderes corruptos sejam substituídos por homens e mulheres honestos e inteligentes que farão o bem para o povo. Expõe cada líder corrupto e remove-o do poder. Livra-nos do mal em nosso governo.

Capacita-nos a levar uma vida tranquila e pacífica, livre da violência e de conflitos. Remove os líderes que não se importam com o povo, mas apenas com benefícios e ganhos pessoais. A questão em meu governo que mais me preocupa é [cite a questão que mais o preocupa]. Oro para que *tuas* leis prevaleçam e que a coisa certa seja feita. O que quero ver feito é [cite o que você gostaria de ver resolvido]. Acima de tudo, quero que tua vontade seja feita. Mostra-me como orar sobre questões específicas para que toda infiltração do inimigo seja sanada. Desperta teus servos para interceder. Ajuda-nos a ouvir teu chamado e a nos tornar vigias sobre os muros de tua comunidade e nação.

Oro em nome de Jesus.

Antes de tudo, recomendo que se façam súplicas, orações,
intercessões e ação de graças por todos os homens; pelos reis e por

todos os que exercem autoridade, para que tenhamos uma vida tranquila e pacífica, com toda a piedade e dignidade. Isso é bom e agradável perante Deus, nosso Salvador.

1TIMÓTEO 2.1-3

12. ORAÇÃO POR SALVAÇÃO DE OUTROS

Senhor, oro pela salvação de [nome da pessoa que você deseja que aceite Cristo]. Abre os olhos dessa pessoa para que ela veja tua verdade. Revela-te a ela e abre-lhe o coração para te receber, Jesus, como Salvador. Não me permitas desanimar, caso não haja uma resposta imediata dessa pessoa, pois sei que teu próprio irmão Tiago não acreditou que tu eras quem disseste ser. Somente depois de tua morte e ressurreição, ele se converteu. Mas sei que podes atrair as pessoas para ti, e tu o fazes em resposta à oração.

Tu disseste: "Mas eu, quando for levantado da terra, atrairei todos a mim" (Jo 12.32). Sei que não queres que ninguém seja separado de ti e sofra por toda a eternidade. És paciente conosco, "não querendo que ninguém pereça, mas que todos cheguem ao arrependimento" (2Pe 3.9). Porque teu desejo é que todos sejam salvos "e cheguem ao conhecimento da verdade" (1Tm 2.4), continuarei a orar por aqueles que ainda não são salvos, para que te recebam como Messias.

Sei que "não há salvação em nenhum outro, pois, debaixo do céu não há nenhum outro nome dado aos homens pelo qual devamos ser salvos" (At 4.12). "Há um só Deus e um só mediador entre Deus e os homens", e ele és tu, "o homem Cristo Jesus" (1Tm 2.5). Sei que "todo aquele que invocar o nome do Senhor será salvo" (At 2.21). Obrigada porque, pelo grande amor com que nos amaste, nos deste vida com Cristo quando ainda estávamos mortos em transgressões (Ef 2.4-5). Pois todos "pecaram e estão destituídos da glória de Deus" (Rm 3.23).

Senhor Jesus, tu disseste: "Eu sou a porta; quem entra por mim será salvo. Entrará e sairá, e encontrará pastagem" (Jo 10.9). "Eu lhes dou a vida eterna, e elas jamais perecerão; ninguém as poderá arrancar da minha mão" (Jo 10.28). Oro para que as pessoas que citei diante de ti entrem pela porta da vida eterna e não sejam arrancadas de tua mão. Ajude-as a ouvir tua Palavra e nela crer. Oro para que neste momento elas não permaneçam cegas nem sejam arrancadas de tuas mãos pelo inimigo. Clamo-as para teu reino. Ajuda-as a conhecer teu maior presente para nós — a vida eterna contigo.

Oro em nome de Jesus.

Porque Deus tanto amou o mundo que deu o seu Filho Unigênito,
para que todo o que nele crer não pereça, mas tenha a vida eterna.

João 3.16

13. Oração para pôr fim aos preconceitos

Senhor, livra-nos de todos os comportamentos baseados em preconceitos. Sei que os mesmos tipos de sangue se encontram em todas as raças, pois temos um único Pai celestial. Tua Palavra diz: "Não temos todos o mesmo Pai? Não fomos todos criados pelo mesmo Deus? Por que será, então, que quebramos a aliança dos nossos antepassados sendo infiéis uns com os outros?" (Ml 2.10). Eu me pergunto isso, Senhor. Oro para que as pessoas não desprezem as outras por nenhum motivo, principalmente devido a diferenças étnicas, de cor de pele, de idioma, de aparência ou culturais. Resistimos ao mal que vem do inimigo de nossa alma, o qual continua a incitar esse tipo de ódio. Liberta-nos desse mal e daqueles que adoram cultivar preconceitos e mantê-los vivos.

Tu criaste apenas dois tipos de pessoas entre as quais precisamos fazer distinção: *as que conhecem Jesus e são salvas* e *as que não conhecem Jesus e não são salvas*. Capacita-nos a fazer essa clara distinção.

Ajuda-nos a ver a beleza que colocaste em todas as raças e a apreciar as diferenças. Sei que quando tu nos chama à unidade, não fazes distinção entre as pessoas, exceto pelo fato de elas crerem ou não em ti. Ajuda-nos a agir do mesmo modo.

Senhor, oro por paz e unidade entre os cristãos de todos os grupos étnicos. Se alguém demonstrar a outro algo que não seja o amor incondicional de Cristo, oro para que tragas o convencimento do pecado ao coração dessa pessoa que está tão cega. Se houver raiva ou ódio projetado em direção às pessoas de certo grupo étnico, oro para que tragas as pessoas que realizam esse mal de joelhos diante de ti em arrependimento. Ajuda teus filhos a serem um povo em meio ao qual reina teu amor. Em especial oro por [cite o nome da pessoa, do grupo de pessoas ou de uma situação em que a discriminação é evidente].

Obrigada porque és Pai de todos e porque teu Espírito Santo habita em cada um de nós que aceitou teu Filho como Salvador. "Como é bom e agradável quando os irmãos convivem em união!" (Sl 133.1). Ajuda-nos sempre a fazer "todo o esforço para conservar a unidade do Espírito pelo vínculo da paz" (Ef 4.3). Tu nos criaste de um só sangue e por teu sangue fomos resgatados. Jesus, ajuda-nos a amar uns aos outros como nos amaste e a nos sacrificar uns pelos outros como te sacrificaste por nós.

Oro em nome de Jesus.

De um só fez ele todos os povos, para que povoassem toda a terra, tendo determinado os tempos anteriormente estabelecidos e os lugares exatos em que deveriam habitar.

Atos 17.26

14. Oração de exaltação a Deus

Senhor, louvo a ti como o Todo-poderoso Deus do Universo para quem nada é impossível. Não há ninguém maior que ti. Não há ninguém superior a ti. Não há ninguém mais maravilhoso que ti. Exalto-te acima de todas as outras coisas, dando-te honra, glória e louvor. Obrigada porque quando clamamos ao Senhor somos salvos de nossos inimigos (2Sm 22.4) e porque quando te louvamos nossos inimigos são derrotados (2Cr 20.22).

Obrigada porque salvas o pobre das mãos dos ímpios (Jr 20.13). Tu dás "sabedoria aos sábios e conhecimento aos que sabem discernir" e revelas "coisas profundas e ocultas" (Dn 2.21-22). Conheces "o que jaz nas trevas" porque habitas na luz (Dn 2.22). A ti pertence "a grandeza, o poder, a glória, a majestade e o esplendor" (1Cr 29.10-11). Ofereçamos continuamente a ti um sacrifício de louvor, que é fruto de lábios que confessam o teu nome (Hb 13.15).

Obrigada porque habitas no meio do louvor, e é por isso que o inimigo detesta tanto que eu louve a ti; quando eu o faço, tudo o que ele tenta inserir em minha vida — dor, desânimo, ansiedade, tristeza e desespero — é afastado de mim, juntamente com os planos dele para me destruir. Obrigada, Deus, porque para ti todas as coisas são possíveis (Mt 19.26) e és infinitamente maior que qualquer ameaça do inimigo contra mim. Ajuda-me a lembrar de adorar a ti em primeiro lugar quando o inimigo me confronta em minha vida. Ajuda-me a desmascarar as mentiras dele por meio de meu louvor sincero a ti.

Atribuo a ti a glória que teu nome merece e adoro a ti no esplendor de teu santuário (Sl 29.2). Exalto teu nome santo e te dou louvor, honra e adoração todas as vezes que penso em ti. Amo a ti de todo o meu coração, de toda a minha alma, de todo o meu entendimento e de todas as minhas forças (Mc 12.30). Somente tu és digno de toda glória, majestade, poder e autoridade agora e para todo o sempre (Jd 1.25). "O SENHOR é grande e muitíssimo digno de louvor" e "deve ser mais temido que todos os deuses" (1Cr 16.25). Cantarei para ti e contarei todos os teus atos maravilhosos (1Cr 16.9).

Oro em nome de Jesus.

Clamo ao Senhor*, que é digno de louvor,*
e sou salvo dos meus inimigos.

2Samuel 22.4

15. Oração por cristãos que sofrem perseguição

Senhor, tua Palavra diz que "todos os que desejam viver piedosamente em Cristo Jesus serão perseguidos" (2Tm 3.12). Isso está se tornando mais evidente a cada dia, em toda parte do mundo, até em meu próprio país. Tua Palavra também diz que "os perversos e impostores irão de mal a pior, enganando e sendo enganados" (2Tm 3.13). Dá a todos os que creem em ti olhos para enxergar a verdade e identificar os impostores. Não permitas que sejamos enganados. Ajuda-nos a reconhecer as mentiras do inimigo e a rejeitá-las imediatamente.

Sei que um dos aspectos mais importantes da batalha espiritual é orar para que a mensagem do evangelho seja propagada. Ajuda teus guerreiros e guerreiras de oração a abrirem uma porta para essa mensagem. Oro, como Paulo orou, para que eu possa trazer pessoas a Jesus. Ele foi perseguido e, mesmo preso e acorrentado, orou para que mais pessoas fossem trazidas para teu reino (Cl 4.3). Ajuda-me a seguir esse exemplo.

Onde quer que cristãos estejam sendo perseguidos por aqueles que fazem a obra do inimigo contra teus seguidores, oro para que tu os alcances e os resgates. Em especial oro por [nome de uma pessoa ou de um grupo de pessoas que sofre perseguição]. Se eles estão sendo ameaçados e torturados, oro para que os libertes de seus captores. Volta a tortura contra os torturadores. Sei que apesar de essas pessoas estarem sendo perseguidas, tu não as abandonaste. Liberta-as da prisão, esconde-as em tua sombra, ajuda-as a escapar e permite que encontrem um local seguro e tragam outros a ti. Salva não apenas a vida deles, mas também a vida de seus familiares que também possam estar sendo perseguidos porque creem em ti.

No caso de pessoas que estão em perigo neste momento, em qualquer parte do mundo, oro para que ouças minhas orações e as libertes de seus captores. Mesmo que eu não tenha um nome específico, tu sabes exatamente para quem e para onde esta oração deve ser direcionada. Em especial oro por [cite uma região onde há perseguição de cristãos]. Salva cada um que faz parte de teu povo nessa região. Guarda-os do mal que o inimigo pretende lhes infligir. Permite que escapem de seus captores. Se a perseguição estiver acontecendo em meu próprio país, oro para que exponhas esse mal e ponhas fim a ele.

Oro em nome de Jesus.

De todos os lados somos pressionados, mas não desanimados; ficamos perplexos, mas não desesperados; somos perseguidos, mas não abandonados; abatidos, mas não destruídos.

2Coríntios 4.8-9

16. Oração por coração puro e espírito humilde

Senhor, sei que se eu acalentasse o pecado em meu coração, tu não me ouvirias (Sl 66.18). Não quero guardar nada em meu coração que possa tornar minhas orações ineficazes. Tua Palavra diz que "se afirmarmos que estamos sem pecado, enganamo-nos a nós mesmos, e a verdade não está em nós" (1Jo 1.8). Mas *se confessarmos os nossos pecados, tu és "fiel e justo para perdoar os nossos pecados* e nos purificar de toda injustiça" (1Jo 1.8-9). Senhor, faço minhas as palavras do salmista: "Sonda-me, ó Deus, e conhece o meu coração; prova-me, e conhece as minhas inquietações. *Vê se em minha conduta algo te ofende*, e dirige-me pelo caminho eterno" (Sl 139.23-24). Mostra-me se fiz ou disse alguma coisa que necessita de confissão e arrependimento diante de ti. Quero poder dizer o mesmo que tu, Jesus, disseste a respeito do diabo: "Ele não tem nenhum direito sobre mim" (Jo 14.30). Isso é verdade para *ti*, Jesus, porque tu és sem pecado e é verdade para *mim* porque pagaste o preço para o meu perdão.

Ajuda-me a não pecar com minhas palavras. Sei que "a boca fala do que está cheio o coração" (Mt 12.34). Disseste que "o homem bom, do seu bom tesouro, tira coisas boas, e o homem mau, do seu mau tesouro, tira coisas más" (Mt 12.35). Sei que terei de dar conta de toda palavra que digo, por isso quero confessar qualquer palavra inútil que eu tenha falado (Mt 12.36). Revela-as a mim. Dá-me um coração puro e humilde.

Oro para que [nome da pessoa que precisa se acertar com Deus] receba um coração puro e um espírito humilde. Oro para que essa pessoa possa te reconhecer em todos os teus caminhos (Pv 3.6). Sei que essa é uma parte importante do processo de prepará-la para a obra que preparaste para ela realizar mais adiante.

Senhor, sei que tu deste a essa pessoa um propósito, uma vocação, e que tens um plano para a vida dela. Mas ela não pode cumprir teu plano sem estar completamente submetida a ti em todas as áreas da vida. Sei que coisas mundanas na mente e na alma dessa pessoa diluirão todo o entendimento de teu propósito para a vida dela, por isso faze-a reconhecer teu propósito e vocação de modo que ela não se desvie de teus caminhos. Não permitas que ela se entregue ao orgulho nem que seu coração se feche para ti, a fim de que não perca a visão que queres lhe dar para o futuro. Dá-lhe um coração puro e um espírito humilde, de modo que ela não desperdice tempo buscando algo que tu não abençoarás. Permite que ela se alegre e ore continuamente, dando graças em todas as circunstâncias, pois esta é a tua vontade para todos (1Ts 5.16-18).

Oro em nome de Jesus.

Cria em mim um coração puro, ó Deus, e renova dentro de mim um espírito estável. Não me expulses da tua presença, nem tires de mim o teu Santo Espírito.

SALMOS 51.10-11

17. ORAÇÃO POR FORÇA NA BATALHA

Senhor, obrigada porque "me revestiste de força para a batalha; fizeste cair aos meus pés os meus adversários. Fizeste que os meus inimigos fugissem de mim; destruí os que me odiavam. Gritaram por socorro, mas não havia quem os salvasse; gritaram ao SENHOR, mas ele não respondeu" (2Sm 22.40-42). Senhor, oro para que teu poder se aperfeiçoe em minha fraqueza e repouse em mim (2Co 12.9), pois és minha força. És "o meu forte refúgio; de quem terei medo?" (Sl 27.1). Oro para que me livres de qualquer armadilha que o inimigo tenha preparado para mim, pois és o meu refúgio (Sl 31.4). A batalha específica que estou enfrentando agora é [cite a batalha que você está travando]. Ajuda-me a permanecer firme com tua armadura e as armas que me deste.

Senhor, oro por [nome da pessoa que está travando uma batalha contra o inimigo]. Fortalece essa pessoa com teu poder. Envolve-a com tua proteção. Obrigada por salvares os justos e seres nossa "fortaleza na hora da adversidade" (Sl 37.39). Senhor, firmaste os montes e dividiste o mar por teu grande poder, por isso oro para que firmes essa pessoa por tua força, de modo que ela seja inabalável (Sl 65.6; 78.13). Tua Palavra diz: "Felizes os que em ti encontram sua força", pois eles prosseguirão o caminho de força em força (Sl 84.5,7). Oro para que ajudes essa pessoa a buscar tua força para resistir ao inimigo, a fim de permanecer firme.

"Descanse somente em Deus, ó minha alma; dele vem a minha esperança" (Sl 62.5). Senhor, descanso em ti, pois tu és minha rocha e minha torre e "não serei abalado" (Sl 62.6). És "o nosso refúgio e a nossa fortaleza, auxílio sempre presente na adversidade" (Sl 46.1). "Este é o dia em que o SENHOR agiu; alegremo-nos e exultemos neste dia" (Sl 118.24).

Oro em nome de Jesus.

Bendito seja o SENHOR, a minha Rocha, que treina as minhas mãos para a guerra e os meus dedos para a batalha. Ele é o meu aliado fiel, a minha fortaleza, a minha torre de proteção e o meu libertador, é o meu escudo, aquele em quem me refugio. Ele subjuga a mim os povos.

Salmos 144.1-2

18. Oração por paz nos relacionamentos

Senhor, coloco diante de ti meus relacionamentos. Peço-te que os abençoe com tua paz e teu amor. Se algum deles não te glorificar, oro para que me mostres com clareza. Oro por meus relacionamentos com meus familiares e amigos. Em especial oro por meu relacionamento com [nome de um membro da família ou de um amigo que o preocupa]. Ajuda-nos a não buscar nosso próprio bem, "mas sim o dos outros" (1Co 10.24) e a nos dedicar "uns aos outros com amor fraternal", preferindo dar honra aos outros mais que a nós mesmas (Rm 12.10). Ajuda-me a estar sempre disposta a perdoar e a mostrar teu amor aos outros. Não permitas que o inimigo construa uma barreira entre teus filhos por meio do egoísmo.

Oro pelos casamentos que sei que o inimigo está tentando destruir. Em especial oro por [nome do casal]. Ajuda-os a entender como colocar as necessidades do outro à frente de suas próprias necessidades. Oro para que todo egoísmo e comportamentos malignos do orgulho e da falta de amor sejam afastados desse casal. Ajuda-os a tratar um ao outro com amor e respeito. Capacita-os a reconhecer quando o inimigo estiver promovendo divisão entre eles. Faze que eles frustrem os planos do inimigo para destruí-los ao pôr em prática a tua Palavra. Capacita-os a permanecerem firmes ao resistir ao inimigo por meio da submissão total a ti. Ajuda-os a edificarem um ao outro.

Transforma cada cônjuge para que ele ou ela se assemelhe cada vez mais a ti e não permitas que se apeguem de modo egoísta àquilo que querem quando querem. Ensina-os a vestir a armadura de Deus todos os dias e a orar um pelo outro em vez de criticar um ao outro. Ajuda-os a plantar sementes de amor e respeito no casamento para que coisas maravilhosas cresçam dentro desse relacionamento. Ajuda-os a arrancar as ervas daninhas do rancor, da amargura, da raiva, da infidelidade e da separação. Oro para que não haja divórcio no futuro desse casal. Ajuda-os a permanecerem unidos em fé e confiança mútua.

Protege esse casamento de quaisquer mentiras do inimigo. Ajuda-os a dedicar tempo um ao outro e a orar juntos para que o inimigo não tenha oportunidade de entrar. Faze que tenham "uma mesma atitude uns para com os outros" (Rm 12.16).

Oro em nome de Jesus.

Livrem-se de toda amargura, indignação e ira, gritaria e calúnia, bem como de toda maldade. Sejam bondosos e compassivos uns para com os outros, perdoando-se mutuamente, assim como Deus os perdoou em Cristo.

Efésios 4.31-32

19. Oração por libertação

Senhor, sei que o inimigo quer que todos vivamos em condenação, mas tu nos livras de nossos pecados e de suas consequências se confessarmos nossas transgressões a ti. Em especial confesso [cite algum pecado que deseja confessar a Deus]. Obrigada porque, se eu confessar meus pecados, tu és fiel e justo para perdoá-los e me purificares de toda injustiça (1Jo 1.9). "Tu bem sabes como fui insensato, ó Deus; a minha culpa não te é encoberta" (Sl 69.5). Liberta-me de meus pecados, pois "são como um fardo pesado e insuportável" (Sl 38.4). Recuso-me a permitir que o inimigo de minha alma jogue culpa sobre mim. Teu sangue derramado na cruz, Jesus, pagou o preço por meus pecados.

Senhor, sei que todo pecado em minha vida enfraquecerá minhas orações. É por isso que te peço que reveles tudo de que preciso me arrepender, para que eu possa ser liberta. Sei que o inimigo de minha alma sempre usará meus pecados contra mim, pois pecados não confessados atrapalham minha comunhão contigo, e isso me enfraquecerá em todos os aspectos. Mostra-me áreas em minha vida em que não pensei, falei ou agi de acordo com teus padrões para minha vida. [Confesse qualquer coisa que o Senhor lhe mostrar ou que você sabe que fez]. "Misericórdia, Senhor, cura-me, pois pequei contra ti" (Sl 41.4). Perdoa-me e livra-me, Senhor. "Reconheci diante de ti o meu pecado e não encobri as minhas culpas. Eu disse: 'Confessarei as minhas transgressões ao Senhor', e tu perdoaste a culpa do meu pecado" (Sl 32.5).

Senhor, sei que fomos "chamados para a liberdade" (Gl 5.13). Ajuda-nos a permanecer firmes nessa liberdade para a qual Cristo nos libertou, não nos deixando submeter novamente a um jugo de escravidão (Gl 5.1). Oro especificamente por [nome da pessoa que precisa de libertação]. Liberta essa pessoa de [cite de que essa pessoa precisa ser liberta neste momento]. Obrigada, Senhor, porque tua libertação é sempre completa. Obrigada porque somos nova criação. "As coisas antigas já passaram; eis que surgiram coisas novas" (2Co 5.17). Ajuda essa pessoa a viver na liberdade e a nunca mais ser enganada pelo inimigo.

Oro em nome de Jesus.

Portanto, se o Filho os libertar, vocês de fato serão livres.

João 8.36

20. Oração por situações sérias no mundo

Senhor, todos os dias algo sério ou terrível acontece em alguma parte do mundo e muitas vezes em meu próprio país. É difícil pensar nessas coisas horríveis e até mesmo orar a respeito elas. Há *tantas* preocupações que muitas vezes nem sei por onde começar. Mas sei que como guerreira de oração tu queres que eu ore por pessoas e situações que estão em teu coração, assim como no meu. Peço-te que me mostres diariamente sobre o que queres que eu ore. À medida que eu ouvir tua voz a respeito das coisas que acontecem no mundo, orarei seguindo tua direção.

A coisa com que mais me preocupo agora em *minha comunidade* é [cite a situação e o que você quer que Deus faça a respeito]. Senhor, oro por outras situações em *meu país* que são preocupantes. A que mais me preocupa é [cite a situação e o que você quer que Deus faça a respeito]. Senhor, oro por coisas muito sérias que estão acontecendo *no mundo*. Oro por [cite a situação e o que você quer que Deus faça a respeito]. Dá-me tua paz em relação a essas situações.

Senhor, oro para que tua paz reine na terra até o fim, quando tu declaraste que nação se levantará contra nação (Mt 24.7). Sei que os últimos dias estão aí, por isso oro para que pessoas em todo o mundo se voltem para ti e sejam salvas. Oro para que saibam que somente tu és Deus e que não há outro igual a ti. Oro para que teu nome seja grande entre as nações, porque derramarás teu espírito sobre todos (Ml 1.11). Oro em especial por [cite a região do mundo que mais a preocupa neste momento e o que você quer que Deus faça]. Oro para que derrames teu Espírito sobre as pessoas nessa região e para que reveles tua verdade a elas. Tua Palavra diz: "O Senhor desfaz os planos das nações e frustra os propósitos dos povos" (Sl 33.10). Desfaze os planos do inimigo para destruir teu povo. Oro sobretudo por pessoas que odeiam teu povo. Em especial oro para que destruas os planos de [cite os grupos de pessoas que incitam o ódio e apoiam o assassinato de inocentes]. Expõe os planos dessas pessoas antes que elas possam realizá-los.

Vejo que nada de errado neste mundo pode ser acertado sem ti. Nenhum conflito pode ser solucionado e nenhum lugar de segurança pode ser firmado sem ti. És a solução para todos os problemas. Somente teu amor e tua paz podem satisfazer nossas necessidades em meio ao desespero. Vem, Jesus, liberta-nos do mal, faze teu rosto brilhar sobre nós e dá-nos a tua paz.

Oro em nome de Jesus.

Eu te louvarei, ó Senhor, entre as nações; cantarei teus louvores entre os povos. Pois o teu amor é tão grande que alcança os céus; a tua fidelidade vai até às nuvens. Sê exaltado, ó Deus, acima dos céus! Sobre toda a terra esteja a tua glória!

Salmos 57.9-11

Conheça outras obras de

Stormie Omartian

- *30 dias para tornar-se uma mulher de oração*
- *A Bíblia da mulher que ora*
- *A oração que faz Deus sorrir*
- *Bom dia! – Leituras diárias com Stormie Omartian*
- *Bom dia! 2 – Leituras diárias com Stormie Omartian*
- *Conversa com Deus*
- *Dez minutos de oração para transformar sua vida*
- *Eu sempre falo com Deus sobre o que sinto*
- *Escolha o amor – E mude o curso de sua vida*
- *Guia-me, Espírito Santo*
- *Minha Bíblia de oração*
- *Minha história de perdão e cura*
- *Minutos de oração para a mulher de fé*
- *O diário da mãe que ora*
- *O poder da criança que ora*
- *O poder da esposa que ora*
- *O poder da esposa que ora – Livros de orações*
- *O poder da esposa que ora – Mensagens de fé*
- *O poder da fé em tempos difíceis*
- *O poder da mãe que ora*
- *O poder da mulher que ora*
- *O poder da mulher que ora – Livro de orações*
- *O poder da nação que ora*
- *O poder da oração no casamento*
- *O poder da oração para uma vida feliz*
- *O poder de orar*
- *O poder de orar a vontade de Deus*
- *O poder de orar juntos*
- *O poder de orar pelos filhos adultos*
- *O poder de orar pelos filhos adultos – Livro de orações*
- *O poder de uma vida de oração*
- *O poder de uma vida de oração – Livro de orações*
- *O poder do adolescente que ora*
- *O poder do marido que*
- *O poder dos avós que oram*
- *O poder dos pais que oram*
- *O poder transformador da oração*
- *O que acontece quando eu falo com Deus?*
- *O que Jesus disse*
- *O segredo da saúde total*

Compartilhe suas impressões de leitura escrevendo para:
opiniao-do-leitor@mundocristao.com.br
Acesse nosso *site*: www.mundocristao.com.br

Diagramação: Triall Composição Editorial Ltda.
Revisão: Josemar de Souza Pinto
Gráfica: Assahi
Fonte: Berkeley Book
Papel: Polén Natural 70g/m² (miolo)
Cartão 250 g/m² (capa)